# CHINESE NAMES, SURNA

# LOCATIONS & ADDRESSES

# 中国大陆地址集

## SHANXI PROVINCE - PART 5

## 山西省

ZIYUE TANG

汤子玥

# ACKNOWLEDGEMENT

I am deeply indebted to my friends and family members to support me throughout my life. Without their invaluable love and guidance, this work wouldn't have been possible.

Thank you

Ziyue Tang

汤子玥

# PREFACE

The book introduces foreigner students to the Chinese names along with locations and addresses from the **Shanxi** Province of China (中国山西省). The book contains 150 entries (names, addresses) explained with simplified Chinese characters, pinyin and English.

Chinese names follow the standard convention where the given name is written after the surname. For example, in 王威 (Wang Wei), Wang is the surname, and Wei is the given name. Further, the surnames are generally made of one (王) or two characters (司马). Similarly, the given names are also made of either one or two characters. For example, 司马威 (Sima Wei) is a three character Chinese name suitable for men. 司马威威 is a four character Chinese name.

Chinese addresses are comprised of different administrative units that start with the largest geographic entity (country) and continue to the smallest entity (county, building names, room number). For example, a typical address in Nanjing city (capital of Jiangsu province) would look like 江苏省南京市清华路 28 栋 520 室 (Jiāngsū shěng nánjīng shì qīnghuá lù 28 dòng 520 shì; Room 520, Building 28, Qinghua Road, Nanjing City, Jiangsu Province).

# CONTENTS

## CHAPTER 1: NAME, SURNAME & ADDRESSES (1-30)

601。姓名: 都亮学

住址（公司）：山西省晋中市祁县毅辉路 448 号化维有限公司（邮政编码：358088）。联系电话：13142145。电子邮箱：dxvep@xktyhwlq.biz.cn

Zhù zhǐ: Dū Liàng Xué Shānxī Shěng Jìn Zhōng Shì Qí Xiàn Yì Huī Lù 448 Hào Huà Wéi Yǒuxiàn Gōngsī (Yóuzhèng Biānmǎ：358088). Liánxì Diànhuà：13142145. Diànzǐ Yóuxiāng：dxvep@xktyhwlq.biz.cn

Liang Xue Du, Hua Wei Corporation, 448 Yi Hui Road, Qi County, Jinzhong, Shanxi. Postal Code: 358088. Phone Number：13142145. E-mail：dxvep@xktyhwlq.biz.cn

602。姓名: 费智智

住址（火车站）：山西省吕梁市中阳县南源路 153 号吕梁站（邮政编码：921140）。联系电话：27732054。电子邮箱：irepn@ziupbtys.chr.cn

Zhù zhǐ: Fèi Zhì Zhì Shānxī Shěng Lǚliáng Shì Zhōng Yáng Xiàn Nán Yuán Lù 153 Hào Lǚliáng Zhàn (Yóuzhèng Biānmǎ：921140). Liánxì Diànhuà：27732054. Diànzǐ Yóuxiāng：irepn@ziupbtys.chr.cn

Zhi Zhi Fei, Luliang Railway Station, 153 Nan Yuan Road, Zhongyang County, Luliang, Shanxi. Postal Code: 921140. Phone Number：27732054. E-mail：irepn@ziupbtys.chr.cn

603。姓名: 宋楚食

住址（火车站）：山西省长治市平顺县王锡路 595 号长治站（邮政编码：566243）。联系电话：20732725。电子邮箱：bcelx@sumtqlfw.chr.cn

Zhù zhǐ: Sòng Chǔ Yì Shānxī Shěng Chángzhì Shì Píngshùn Xiàn Wàng Xī Lù 595 Hào Cángz Zhàn（Yóuzhèng Biānmǎ：566243). Liánxì Diànhuà：20732725. Diànzǐ Yóuxiāng：bcelx@sumtqlfw.chr.cn

Chu Yi Song, Changzhi Railway Station, 595 Wang Xi Road, Pingshun County, Changzhi, Shanxi. Postal Code: 566243. Phone Number：20732725. E-mail：bcelx@sumtqlfw.chr.cn

604。姓名: 昌尚智

住址（机场）：山西省吕梁市交城县山食路 903 号吕梁顺沛国际机场（邮政编码：823645）。联系电话：17559871。电子邮箱：knbtm@ufdojclx.airports.cn

Zhù zhǐ: Chāng Shàng Zhì Shānxī Shěng Lǚliáng Shì Jiāo Chéng Xiàn Shān Shí Lù 903 Hào Lǚliáng Shùn Bèi Guó Jì Jī Chǎng（Yóuzhèng Biānmǎ：823645). Liánxì Diànhuà：17559871. Diànzǐ Yóuxiāng：knbtm@ufdojclx.airports.cn

Shang Zhi Chang, Luliang Shun Bei International Airport, 903 Shan Shi Road, Jiaocheng County, Luliang, Shanxi. Postal Code: 823645. Phone Number：17559871. E-mail：knbtm@ufdojclx.airports.cn

605。姓名: 邢臻化

住址（湖泊）：山西省运城市稷山县坤晖路 396 号钢威湖（邮政编码：449465）。联系电话：30194834。电子邮箱：qeako@ejysnfxc.lakes.cn

Zhù zhǐ: Xíng Zhēn Huā Shānxī Shěng Yùn Chéng Shì Jì Shān Xiàn Kūn Huī Lù 396 Hào Gāng Wēi Hú（Yóuzhèng Biānmǎ：449465). Liánxì Diànhuà：30194834. Diànzǐ Yóuxiāng：qeako@ejysnfxc.lakes.cn

Zhen Hua Xing, Gang Wei Lake, 396 Kun Hui Road, Jishan County, Yuncheng, Shanxi. Postal Code: 449465. Phone Number：30194834. E-mail：qeako@ejysnfxc.lakes.cn

606。姓名: 蔡人轶

住址（火车站）：山西省长治市黎城县白大路 159 号长治站（邮政编码：613067）。联系电话：79427035。电子邮箱：pxfks@bogndjrf.chr.cn

Zhù zhǐ: Cài Rén Yì Shānxī Shěng Chángzhì Shì Lí Chéng Xiàn Bái Dà Lù 159 Hào Cángz Zhàn（Yóuzhèng Biānmǎ：613067). Liánxì Diànhuà：79427035. Diànzǐ Yóuxiāng：pxfks@bogndjrf.chr.cn

Ren Yi Cai, Changzhi Railway Station, 159 Bai Da Road, Licheng County, Changzhi, Shanxi. Postal Code: 613067. Phone Number：79427035. E-mail：pxfks@bogndjrf.chr.cn

607。姓名: 卞居福

住址（公共汽车站）：山西省晋中市寿阳县近坚路 972 号勇毅站（邮政编码：905341）。联系电话：37682208。电子邮箱：scugh@ijzsoghq.transport.cn

Zhù zhǐ: Biàn Jū Fú Shānxī Shěng Jìn Zhōng Shì Shòu Yáng Xiàn Jìn Jiān Lù 972 Hào Yǒng Yì Zhàn（Yóuzhèng Biānmǎ：905341). Liánxì Diànhuà：37682208. Diànzǐ Yóuxiāng：scugh@ijzsoghq.transport.cn

Ju Fu Bian, Yong Yi Bus Station, 972 Jin Jian Road, Shouyang County, Jinzhong, Shanxi. Postal Code: 905341. Phone Number：37682208. E-mail：scugh@ijzsoghq.transport.cn

608。姓名: 微德食

住址（公共汽车站）：山西省太原市清徐县奎易路 836 号翰中站（邮政编码：979705）。联系电话：82912251。电子邮箱：qkfzv@sdeiktpv.transport.cn

Zhù zhǐ: Wēi Dé Sì Shānxī Shěng Tàiyuán Shì Qīng Xú Xiàn Kuí Yì Lù 836 Hào Hàn Zhòng Zhàn（Yóuzhèng Biānmǎ：979705). Liánxì Diànhuà：82912251. Diànzǐ Yóuxiāng：qkfzv@sdeiktpv.transport.cn

De Si Wei, Han Zhong Bus Station, 836 Kui Yi Road, Qingxu County, Taiyuan, Shanxi. Postal Code: 979705. Phone Number：82912251. E-mail：qkfzv@sdeiktpv.transport.cn

609。姓名: 郝愈轶

住址（广场）：山西省临汾市隰县阳焯路 399 号化强广场（邮政编码：671238）。联系电话：84094720。电子邮箱：lkbsv@vguepixy.squares.cn

Zhù zhǐ: Hǎo Yù Yì Shānxī Shěng Línfén Shì Xí Xiàn Yáng Zhuō Lù 399 Hào Huà Qiáng Guǎng Chǎng (Yóuzhèng Biānmǎ：671238). Liánxì Diànhuà：84094720. Diànzǐ Yóuxiāng：lkbsv@vguepixy.squares.cn

Yu Yi Hao, Hua Qiang Square, 399 Yang Zhuo Road, Xi County, Linfen, Shanxi. Postal Code: 671238. Phone Number：84094720. E-mail: lkbsv@vguepixy.squares.cn

610。姓名: 翁桥咚

住址（公园）：山西省大同市云冈区伦坚路 154 号守可公园（邮政编码：468245）。联系电话：81468871。电子邮箱：jlpxo@rawlimds.parks.cn

Zhù zhǐ: Wēng Qiáo Dōng Shānxī Shěng Dàtóng Shì Yún Gāng Qū Lún Jiān Lù 154 Hào Shǒu Kě Gōng Yuán (Yóuzhèng Biānmǎ：468245). Liánxì Diànhuà：81468871. Diànzǐ Yóuxiāng：jlpxo@rawlimds.parks.cn

Qiao Dong Weng, Shou Ke Park, 154 Lun Jian Road, Yungang District, Datong, Shanxi. Postal Code: 468245. Phone Number：81468871. E-mail: jlpxo@rawlimds.parks.cn

611。姓名: 居己愈

住址（医院）：山西省晋中市灵石县维翰路 236 号龙征医院（邮政编码：402382）。联系电话：17854598。电子邮箱：ouvai@ourhzqvf.health.cn

Zhù zhǐ: Jū Jǐ Yù Shānxī Shěng Jìn Zhōng Shì Líng Shí Xiàn Wéi Hàn Lù 236 Hào Lóng Zhēng Yī Yuàn (Yóuzhèng Biānmǎ：402382). Liánxì Diànhuà：17854598. Diànzǐ Yóuxiāng：ouvai@ourhzqvf.health.cn

Ji Yu Ju, Long Zheng Hospital, 236 Wei Han Road, Lingshi County, Jinzhong, Shanxi. Postal Code: 402382. Phone Number：17854598. E-mail：ouvai@ourhzqvf.health.cn

612。姓名: 吴陆辉

住址（医院）：山西省太原市万柏林区辉葛路 402 号科俊医院（邮政编码：298005）。联系电话：96029084。电子邮箱：zspok@lrjfixdk.health.cn

Zhù zhǐ: Wú Liù Huī Shānxī Shěng Tàiyuán Shì Wàn Bólín Qū Huī Gé Lù 402 Hào Kē Jùn Yī Yuàn (Yóuzhèng Biānmǎ：298005). Liánxì Diànhuà：96029084. Diànzǐ Yóuxiāng：zspok@lrjfixdk.health.cn

Liu Hui Wu, Ke Jun Hospital, 402 Hui Ge Road, Wan Bolin District, Taiyuan, Shanxi. Postal Code: 298005. Phone Number：96029084. E-mail：zspok@lrjfixdk.health.cn

613。姓名: 隗波不

住址（广场）：山西省吕梁市文水县豪克路 355 号坤金广场（邮政编码：246064）。联系电话：46298743。电子邮箱：ngpja@ahpqrxkc.squares.cn

Zhù zhǐ: Kuí Bō Bù Shānxī Shěng Lǚliáng Shì Wén Shuǐ Xiàn Háo Kè Lù 355 Hào Kūn Jīn Guǎng Chǎng (Yóuzhèng Biānmǎ：246064). Liánxì Diànhuà：46298743. Diànzǐ Yóuxiāng：ngpja@ahpqrxkc.squares.cn

Bo Bu Kui, Kun Jin Square, 355 Hao Ke Road, Wenshui County, Luliang, Shanxi. Postal Code: 246064. Phone Number：46298743. E-mail：ngpja@ahpqrxkc.squares.cn

614。姓名: 云甫臻

住址（大学）：山西省长治市潞城区钊中大学冕易路 718 号（邮政编码：817280）。联系电话：25941659。电子邮箱：xmbhj@fvxlpbeg.edu.cn

Zhù zhǐ: Yún Fǔ Zhēn Shānxī Shěng Chángzhì Shì Lù Chéngqū Zhāo Zhòng DàxuéMiǎn Yì Lù 718 Hào (Yóuzhèng Biānmǎ：817280). Liánxì Diànhuà：25941659. Diànzǐ Yóuxiāng：xmbhj@fvxlpbeg.edu.cn

Fu Zhen Yun, Zhao Zhong University, 718 Mian Yi Road, Lucheng District, Changzhi, Shanxi. Postal Code: 817280. Phone Number：25941659. E-mail：xmbhj@fvxlpbeg.edu.cn

615。姓名: 戚昌茂

住址（酒店）：山西省晋中市榆次区民恩路 450 号腾征酒店（邮政编码：536127）。联系电话：88266105。电子邮箱：apnmz@sfebjpkw.biz.cn

Zhù zhǐ: Qī Chāng Mào Shānxī Shěng Jìn Zhōng Shì Yú Cì Qū Mín Ēn Lù 450 Hào Téng Zhēng Jiǔ Diàn (Yóuzhèng Biānmǎ：536127). Liánxì Diànhuà：88266105. Diànzǐ Yóuxiāng：apnmz@sfebjpkw.biz.cn

Chang Mao Qi, Teng Zheng Hotel, 450 Min En Road, Yuci District, Jinzhong, Shanxi. Postal Code: 536127. Phone Number：88266105. E-mail：apnmz@sfebjpkw.biz.cn

616。姓名: 范鸣俊

住址（公共汽车站）：山西省运城市夏县甫胜路 620 号祥铁站（邮政编码：656042）。联系电话：33781724。电子邮箱：vdwcq@floaribc.transport.cn

Zhù zhǐ: Fàn Míng Jùn Shānxī Shěng Yùn Chéng Shì Xià Xiàn Fǔ Shēng Lù 620 Hào Xiáng Fū Zhàn (Yóuzhèng Biānmǎ：656042). Liánxì Diànhuà：33781724. Diànzǐ Yóuxiāng：vdwcq@floaribc.transport.cn

Ming Jun Fan, Xiang Fu Bus Station, 620 Fu Sheng Road, Xia County, Yuncheng, Shanxi. Postal Code: 656042. Phone Number：33781724. E-mail：vdwcq@floaribc.transport.cn

617。姓名: 阴化际

住址（公园）：山西省阳泉市矿区山白路 152 号中豹公园（邮政编码：643465）。联系电话：15156795。电子邮箱：enqwd@opzjguin.parks.cn

Zhù zhǐ: Yīn Huā Jì Shānxī Shěng Yángquán Shì Kuàngqū Shān Bái Lù 152 Hào Zhòng Bào Gōng Yuán (Yóuzhèng Biānmǎ：643465). Liánxì Diànhuà：15156795. Diànzǐ Yóuxiāng：enqwd@opzjguin.parks.cn

Hua Ji Yin, Zhong Bao Park, 152 Shan Bai Road, Mining Area, Yangquan, Shanxi. Postal Code: 643465. Phone Number：15156795. E-mail：enqwd@opzjguin.parks.cn

618。姓名: 史盛迅

住址（广场）：山西省晋城市泽州县中坚路 571 号渊斌广场（邮政编码：434224）。联系电话：41970767。电子邮箱：qcrop@mapwbtie.squares.cn

Zhù zhǐ: Shǐ Chéng Xùn Shānxī Shěng Jìnchéng Shì Zé Zhōu Xiàn Zhōng Jiān Lù 571 Hào Yuān Bīn Guǎng Chǎng (Yóuzhèng Biānmǎ：434224). Liánxì Diànhuà：41970767. Diànzǐ Yóuxiāng：qcrop@mapwbtie.squares.cn

Cheng Xun Shi, Yuan Bin Square, 571 Zhong Jian Road, Zezhou County, Jincheng, Shanxi. Postal Code: 434224. Phone Number：41970767. E-mail：qcrop@mapwbtie.squares.cn

619。姓名: 禹译翼

住址（家庭）：山西省忻州市繁峙县可寰路 596 号土锤公寓 40 层 925 室（邮政编码：446635）。联系电话：94996041。电子邮箱：egjix@bwgtphea.cn

Zhù zhǐ: Yǔ Yì Yì Shānxī Shěng Xīnzhōu Shì Fán Zhì Xiàn Kě Huán Lù 596 Hào Tǔ Chuí Gōng Yù 40 Céng 925 Shì (Yóuzhèng Biānmǎ：446635). Liánxì Diànhuà：94996041. Diànzǐ Yóuxiāng：egjix@bwgtphea.cn

Yi Yi Yu, Room# 925, Floor# 40, Tu Chui Apartment, 596 Ke Huan Road, Fanshi County, Xinzhou, Shanxi. Postal Code: 446635. Phone Number：94996041. E-mail：egjix@bwgtphea.cn

620。姓名: 宁龙化

住址（火车站）：山西省太原市小店区浩钊路 134 号太原站（邮政编码：688184）。联系电话：25210166。电子邮箱：tqjlw@iasdbzlp.chr.cn

Zhù zhǐ: Nìng Lóng Huà Shānxī Shěng Tàiyuán Shì Xiǎo Diàn Qū Hào Zhāo Lù 134 Hào Tàiyuán Zhàn (Yóuzhèng Biānmǎ：688184). Liánxì Diànhuà：25210166. Diànzǐ Yóuxiāng：tqjlw@iasdbzlp.chr.cn

Long Hua Ning, Taiyuan Railway Station, 134 Hao Zhao Road, Shop Area, Taiyuan, Shanxi. Postal Code: 688184. Phone Number：25210166. E-mail：tqjlw@iasdbzlp.chr.cn

621。姓名: 郏兆桥

住址（火车站）：山西省阳泉市平定县甫队路 729 号阳泉站（邮政编码：254764）。联系电话：15309968。电子邮箱：hvrcl@cbusapfm.chr.cn

Zhù zhǐ: Jiá Zhào Qiáo Shānxī Shěng Yángquán Shì Píngdìng Xiàn Fǔ Duì Lù 729 Hào Yángquán Zhàn (Yóuzhèng Biānmǎ：254764). Liánxì Diànhuà：15309968. Diànzǐ Yóuxiāng：hvrcl@cbusapfm.chr.cn

Zhao Qiao Jia, Yangquan Railway Station, 729 Fu Dui Road, Pingding County, Yangquan, Shanxi. Postal Code: 254764. Phone Number：15309968. E-mail：hvrcl@cbusapfm.chr.cn

622。姓名: 欧柱国

住址（公园）：山西省吕梁市文水县歧宝路 108 号智葆公园（邮政编码：519359）。联系电话：41677725。电子邮箱：sfnzo@atxijflv.parks.cn

Zhù zhǐ: Ōu Zhù Guó Shānxī Shěng Lǚliáng Shì Wén Shuǐ Xiàn Qí Bǎo Lù 108 Hào Zhì Bǎo Gōng Yuán (Yóuzhèng Biānmǎ：519359). Liánxì Diànhuà：41677725. Diànzǐ Yóuxiāng：sfnzo@atxijflv.parks.cn

Zhu Guo Ou, Zhi Bao Park, 108 Qi Bao Road, Wenshui County, Luliang, Shanxi. Postal Code: 519359. Phone Number：41677725. E-mail：sfnzo@atxijflv.parks.cn

623。姓名: 安院智

住址（家庭）：山西省晋城市陵川县斌陆路 986 号晖龙公寓 40 层 326 室（邮政编码：319133）。联系电话：79211167。电子邮箱：jsmzu@ngbexrlc.cn

Zhù zhǐ: Ān Yuàn Zhì Shānxī Shěng Jìnchéng Shì Líng Chuān Xiàn Bīn Liù Lù 986 Hào Huī Lóng Gōng Yù 40 Céng 326 Shì (Yóuzhèng Biānmǎ：319133). Liánxì Diànhuà：79211167. Diànzǐ Yóuxiāng：jsmzu@ngbexrlc.cn

Yuan Zhi An, Room# 326, Floor# 40, Hui Long Apartment, 986 Bin Liu Road, Lingchuan County, Jincheng, Shanxi. Postal Code: 319133. Phone Number：79211167. E-mail：jsmzu@ngbexrlc.cn

624。姓名: 佴兵翰

住址（公司）：山西省阳泉市盂县毅俊路 746 号陆队有限公司（邮政编码：985015）。联系电话：31359899。电子邮箱：xwvcg@pnithwme.biz.cn

Zhù zhǐ: Nài Bīng Hàn Shānxī Shěng Yángquán Shì Yú Xiàn Yì Jùn Lù 746 Hào Liù Duì Yǒuxiàn Gōngsī (Yóuzhèng Biānmǎ：985015). Liánxì Diànhuà：31359899. Diànzǐ Yóuxiāng：xwvcg@pnithwme.biz.cn

Bing Han Nai, Liu Dui Corporation, 746 Yi Jun Road, Yu County, Yangquan, Shanxi. Postal Code: 985015. Phone Number：31359899. E-mail：xwvcg@pnithwme.biz.cn

625。姓名: 伯进际

住址（公共汽车站）：山西省朔州市怀仁市鹤黎路 457 号伦祥站（邮政编码：691071）。联系电话：77221533。电子邮箱：ncqju@djosirzf.transport.cn

Zhù zhǐ: Bó Jìn Jì Shānxī Shěng Shuò Zhōu Shì Huái Rén Shì Hè Lí Lù 457 Hào Lún Xiáng Zhàn (Yóuzhèng Biānmǎ：691071). Liánxì Diànhuà：77221533. Diànzǐ Yóuxiāng：ncqju@djosirzf.transport.cn

Jin Ji Bo, Lun Xiang Bus Station, 457 He Li Road, Huairen City, Shuozhou, Shanxi. Postal Code: 691071. Phone Number：77221533. E-mail：ncqju@djosirzf.transport.cn

626。姓名: 项锡化

住址（医院）：山西省大同市新荣区稼晖路 438 号葛其医院（邮政编码：986349）。联系电话：66325823。电子邮箱：vtfpu@vkirzpjh.health.cn

Zhù zhǐ: Xiàng Xī Huā Shānxī Shěng Dàtóng Shì Xīn Róng Qū Jià Huī Lù 438 Hào Gé Qí Yī Yuàn (Yóuzhèng Biānmǎ：986349). Liánxì Diànhuà：66325823. Diànzǐ Yóuxiāng：vtfpu@vkirzpjh.health.cn

Xi Hua Xiang, Ge Qi Hospital, 438 Jia Hui Road, Xinrong District, Datong, Shanxi. Postal Code: 986349. Phone Number：66325823. E-mail：vtfpu@vkirzpjh.health.cn

627。姓名: 贝勇风

住址（医院）：山西省运城市新绛县星斌路 577 号顺黎医院（邮政编码：360821）。联系电话：92165671。电子邮箱：dubsn@gdvblipz.health.cn

Zhù zhǐ: Bèi Yǒng Fēng Shānxī Shěng Yùn Chéng Shì Xīn Jiàng Xiàn Xīng Bīn Lù 577 Hào Shùn Lí Yī Yuàn (Yóuzhèng Biānmǎ：360821). Liánxì Diànhuà：92165671. Diànzǐ Yóuxiāng：dubsn@gdvblipz.health.cn

Yong Feng Bei, Shun Li Hospital, 577 Xing Bin Road, Xinjiang County, Yuncheng, Shanxi. Postal Code: 360821. Phone Number：92165671. E-mail：dubsn@gdvblipz.health.cn

628。姓名: 涂风刚

住址（公园）：山西省朔州市怀仁市顺员路 120 号坚兵公园（邮政编码：407164）。联系电话：86058116。电子邮箱：bumkv@oegxncla.parks.cn

Zhù zhǐ: Tú Fēng Gāng Shānxī Shěng Shuò Zhōu Shì Huái Rén Shì Shùn Yún Lù 120 Hào Jiān Bīng Gōng Yuán (Yóuzhèng Biānmǎ：407164). Liánxì Diànhuà：86058116. Diànzǐ Yóuxiāng：bumkv@oegxncla.parks.cn

Feng Gang Tu, Jian Bing Park, 120 Shun Yun Road, Huairen City, Shuozhou, Shanxi. Postal Code: 407164. Phone Number：86058116. E-mail：bumkv@oegxncla.parks.cn

629。姓名: 阙山彬

住址（博物院）：山西省晋中市太谷区员福路 108 号晋中博物馆（邮政编码：427171）。联系电话：42720419。电子邮箱：ihsqj@dzfolnxi.museums.cn

Zhù zhǐ: Quē Shān Bīn Shānxī Shěng Jìn Zhōng Shì Tài Gǔ Qū Yuán Fú Lù 108 Hào Jn Zōng Bó Wù Guǎn (Yóuzhèng Biānmǎ：427171). Liánxì Diànhuà：42720419. Diànzǐ Yóuxiāng：ihsqj@dzfolnxi.museums.cn

Shan Bin Que, Jinzhong Museum, 108 Yuan Fu Road, Taigu District, Jinzhong, Shanxi. Postal Code: 427171. Phone Number：42720419. E-mail：ihsqj@dzfolnxi.museums.cn

630。姓名: 公嘉德

住址（公司）：山西省朔州市应县楚坤路 814 号福钊有限公司（邮政编码：494215）。联系电话：30702023。电子邮箱：sqjrn@shduxgwv.biz.cn

Zhù zhǐ: Gōng Jiā Dé Shānxī Shěng Shuò Zhōu Shì Yìng Xiàn Chǔ Kūn Lù 814 Hào Fú Zhāo Yǒuxiàn Gōngsī (Yóuzhèng Biānmǎ：494215). Liánxì Diànhuà：30702023. Diànzǐ Yóuxiāng：sqjrn@shduxgwv.biz.cn

Jia De Gong, Fu Zhao Corporation, 814 Chu Kun Road, Ying County, Shuozhou, Shanxi. Postal Code: 494215. Phone Number： 30702023. E-mail： sqjrn@shduxgwv.biz.cn

**CHAPTER 2: NAME, SURNAME & ADDRESSES (31-60)**

631。姓名: 澹台祥化

住址（湖泊）：山西省大同市左云县亭员路 752 号胜继湖（邮政编码：769145）。联系电话：85435180。电子邮箱：zsuoh@fkdqvsnt.lakes.cn

Zhù zhǐ: Tántái Xiáng Huà Shānxī Shěng Dàtóng Shì Zuǒ Yún Xiàn Tíng Yuán Lù 752 Hào Shēng Jì Hú (Yóuzhèng Biānmǎ：769145). Liánxì Diànhuà：85435180. Diànzǐ Yóuxiāng：zsuoh@fkdqvsnt.lakes.cn

Xiang Hua Tantai, Sheng Ji Lake, 752 Ting Yuan Road, Zuoyun County, Datong, Shanxi. Postal Code: 769145. Phone Number：85435180. E-mail：zsuoh@fkdqvsnt.lakes.cn

632。姓名: 湛圣计

住址（广场）：山西省太原市尖草坪区翰歧路 980 号迅桥广场（邮政编码：571661）。联系电话：33247101。电子邮箱：nipzu@obuasfez.squares.cn

Zhù zhǐ: Zhàn Shèng Jì Shānxī Shěng Tàiyuán Shì Jiān Cǎopíng Qū Hàn Qí Lù 980 Hào Xùn Qiáo Guǎng Chǎng (Yóuzhèng Biānmǎ：571661). Liánxì Diànhuà：33247101. Diànzǐ Yóuxiāng：nipzu@obuasfez.squares.cn

Sheng Ji Zhan, Xun Qiao Square, 980 Han Qi Road, Jiancaoping District, Taiyuan, Shanxi. Postal Code: 571661. Phone Number：33247101. E-mail：nipzu@obuasfez.squares.cn

633。姓名: 康冠隆

住址（火车站）：山西省忻州市忻府区维化路 611 号忻州站（邮政编码：522564）。联系电话：25501786。电子邮箱：sdztl@otqnxcpg.chr.cn

Zhù zhǐ: Kāng Guān Lóng Shānxī Shěng Xīnzhōu Shì Xīn Fǔ Qū Wéi Huā Lù 611 Hào Xīnzōu Zhàn (Yóuzhèng Biānmǎ：522564). Liánxì Diànhuà：25501786. Diànzǐ Yóuxiāng：sdztl@otqnxcpg.chr.cn

Guan Long Kang, Xinzhou Railway Station, 611 Wei Hua Road, Xinfu District, Xinzhou, Shanxi. Postal Code: 522564. Phone Number：25501786. E-mail：sdztl@otqnxcpg.chr.cn

634。姓名: 乔成员

住址（医院）：山西省吕梁市交口县跃南路 601 号迅福医院（邮政编码：919397）。联系电话：62974716。电子邮箱：uinwf@nmfylrcp.health.cn

Zhù zhǐ: Qiáo Chéng Yuán Shānxī Shěng Lǚliáng Shì Jiāokǒu Xiàn Yuè Nán Lù 601 Hào Xùn Fú Yī Yuàn (Yóuzhèng Biānmǎ：919397). Liánxì Diànhuà：62974716. Diànzǐ Yóuxiāng：uinwf@nmfylrcp.health.cn

Cheng Yuan Qiao, Xun Fu Hospital, 601 Yue Nan Road, Jiaokou County, Luliang, Shanxi. Postal Code: 919397. Phone Number：62974716. E-mail：uinwf@nmfylrcp.health.cn

635。姓名: 赵盛化

住址（火车站）：山西省临汾市大宁县光启路 280 号临汾站（邮政编码：898715）。联系电话：75218678。电子邮箱：mpvil@pbwysrin.chr.cn

Zhù zhǐ: Zhào Chéng Huà Shānxī Shěng Línfén Shì Dà Níngxiàn Guāng Qǐ Lù 280 Hào Línfén Zhàn (Yóuzhèng Biānmǎ：898715). Liánxì Diànhuà：75218678. Diànzǐ Yóuxiāng：mpvil@pbwysrin.chr.cn

Cheng Hua Zhao, Linfen Railway Station, 280 Guang Qi Road, Daning County, Linfen, Shanxi. Postal Code: 898715. Phone Number：75218678. E-mail：mpvil@pbwysrin.chr.cn

636。姓名: 戈守星

住址（公园）：山西省临汾市隰县克成路 118 号恩鸣公园（邮政编码：611510）。联系电话：31211290。电子邮箱：xcowm@usqxitzy.parks.cn

Zhù zhǐ: Gē Shǒu Xīng Shānxī Shěng Línfén Shì Xí Xiàn Kè Chéng Lù 118 Hào Ēn Míng Gōng Yuán (Yóuzhèng Biānmǎ：611510). Liánxì Diànhuà：31211290. Diànzǐ Yóuxiāng：xcowm@usqxitzy.parks.cn

Shou Xing Ge, En Ming Park, 118 Ke Cheng Road, Xi County, Linfen, Shanxi. Postal Code: 611510. Phone Number：31211290. E-mail：xcowm@usqxitzy.parks.cn

637。姓名: 夏侯近近

住址（公司）：山西省晋城市沁水县兵化路 130 号独鹤有限公司（邮政编码：176757）。联系电话：73576032。电子邮箱：zubnv@oejaftdk.biz.cn

Zhù zhǐ: Xiàhóu Jìn Jìn Shānxī Shěng Jìnchéng Shì Qìn Shuǐ Xiàn Bīng Huà Lù 130 Hào Dú Hè Yǒuxiàn Gōngsī (Yóuzhèng Biānmǎ：176757). Liánxì Diànhuà：73576032. Diànzǐ Yóuxiāng：zubnv@oejaftdk.biz.cn

Jin Jin Xiahou, Du He Corporation, 130 Bing Hua Road, Qinshui County, Jincheng, Shanxi. Postal Code: 176757. Phone Number：73576032. E-mail：zubnv@oejaftdk.biz.cn

638。姓名: 牧焯友

住址（大学）：山西省运城市河津市译院大学九乐路 945 号（邮政编码：506296）。联系电话：50767973。电子邮箱：pquhf@epwdxbut.edu.cn

Zhù zhǐ: Mù Chāo Yǒu Shānxī Shěng Yùn Chéng Shì Héjīn Shì Yì Yuàn DàxuéJiǔ Lè Lù 945 Hào (Yóuzhèng Biānmǎ：506296). Liánxì Diànhuà：50767973. Diànzǐ Yóuxiāng：pquhf@epwdxbut.edu.cn

Chao You Mu, Yi Yuan University, 945 Jiu Le Road, Hejin City, Yuncheng, Shanxi. Postal Code: 506296. Phone Number：50767973. E-mail：pquhf@epwdxbut.edu.cn

639。姓名: 马沛晗

住址（机场）：山西省大同市灵丘县庆可路 195 号大同汉克国际机场（邮政编码：446085）。联系电话：33449762。电子邮箱：olgpz@dlzuhybt.airports.cn

Zhù zhǐ: Mǎ Pèi Hán Shānxī Shěng Dàtóng Shì Líng Qiū Xiàn Qìng Kě Lù 195 Hào Dàtóng Hàn Kè Guó Jì Jī Chǎng (Yóuzhèng Biānmǎ：446085). Liánxì Diànhuà：33449762. Diànzǐ Yóuxiāng：olgpz@dlzuhybt.airports.cn

Pei Han Ma, Datong Han Ke International Airport, 195 Qing Ke Road, Lingqiu County, Datong, Shanxi. Postal Code: 446085. Phone Number：33449762. E-mail：olgpz@dlzuhybt.airports.cn

640。姓名: 羊仓员

住址（湖泊）：山西省晋城市陵川县禹民路 321 号咚锡湖（邮政编码：878322）。联系电话：93928577。电子邮箱：yqjsr@hbejtciy.lakes.cn

Zhù zhǐ: Yáng Cāng Yún Shānxī Shěng Jìnchéng Shì Líng Chuān Xiàn Yǔ Mín Lù 321 Hào Dōng Xī Hú (Yóuzhèng Biānmǎ：878322). Liánxì Diànhuà：93928577. Diànzǐ Yóuxiāng：yqjsr@hbejtciy.lakes.cn

Cang Yun Yang, Dong Xi Lake, 321 Yu Min Road, Lingchuan County, Jincheng, Shanxi. Postal Code: 878322. Phone Number：93928577. E-mail：yqjsr@hbejtciy.lakes.cn

641。姓名: 商化兵

住址（家庭）：山西省朔州市应县鹤独路 967 号民钦公寓 12 层 301 室（邮政编码：998002）。联系电话：72826250。电子邮箱：yxvlz@yvfatxqi.cn

Zhù zhǐ: Shāng Huà Bīng Shānxī Shěng Shuò Zhōu Shì Yìng Xiàn Hè Dú Lù 967 Hào Mín Qīn Gōng Yù 12 Céng 301 Shì (Yóuzhèng Biānmǎ：998002). Liánxì Diànhuà：72826250. Diànzǐ Yóuxiāng：yxvlz@yvfatxqi.cn

Hua Bing Shang, Room# 301, Floor# 12, Min Qin Apartment, 967 He Du Road, Ying County, Shuozhou, Shanxi. Postal Code: 998002. Phone Number： 72826250. E-mail： yxvlz@yvfatxqi.cn

642。姓名: 满领豹

住址（大学）：山西省长治市襄垣县星谢大学焯强路 365 号（邮政编码：813231）。联系电话：85483927。电子邮箱：tcgae@dawisxhu.edu.cn

Zhù zhǐ: Mǎn Lǐng Bào Shānxī Shěng Chángzhì Shì Xiāngyuán Xiàn Xīng Xiè DàxuéChāo Qiáng Lù 365 Hào (Yóuzhèng Biānmǎ： 813231). Liánxì Diànhuà： 85483927. Diànzǐ Yóuxiāng： tcgae@dawisxhu.edu.cn

Ling Bao Man, Xing Xie University, 365 Chao Qiang Road, Xiangyuan County, Changzhi, Shanxi. Postal Code: 813231. Phone Number： 85483927. E-mail： tcgae@dawisxhu.edu.cn

643。姓名: 阮斌冕

住址（酒店）：山西省吕梁市临县豹敬路 798 号浩兆酒店（邮政编码：416950）。联系电话：83886867。电子邮箱：rmnfx@ynpgqxbe.biz.cn

Zhù zhǐ: Ruǎn Bīn Miǎn Shānxī Shěng Lǚliáng Shì Lín Xiàn Bào Jìng Lù 798 Hào Hào Zhào Jiǔ Diàn (Yóuzhèng Biānmǎ： 416950). Liánxì Diànhuà： 83886867. Diànzǐ Yóuxiāng： rmnfx@ynpgqxbe.biz.cn

Bin Mian Ruan, Hao Zhao Hotel, 798 Bao Jing Road, Lin County, Luliang, Shanxi. Postal Code: 416950. Phone Number： 83886867. E-mail： rmnfx@ynpgqxbe.biz.cn

644。姓名: 乐正光计

住址（湖泊）：山西省忻州市偏关县茂振路 691 号己俊湖（邮政编码：701093）。联系电话：88167368。电子邮箱：blfac@hdjsxare.lakes.cn

Zhù zhǐ: Yuèzhèng Guāng Jì Shānxī Shěng Xīnzhōu Shì Piān Guān Xiàn Mào Zhèn Lù 691 Hào Jǐ Jùn Hú (Yóuzhèng Biānmǎ：701093). Liánxì Diànhuà：88167368. Diànzǐ Yóuxiāng：blfac@hdjsxare.lakes.cn

Guang Ji Yuezheng, Ji Jun Lake, 691 Mao Zhen Road, Pianguan County, Xinzhou, Shanxi. Postal Code: 701093. Phone Number：88167368. E-mail：blfac@hdjsxare.lakes.cn

645。姓名: 蒋阳领

住址（火车站）：山西省朔州市山阴县守领路 634 号朔州站（邮政编码：836957）。联系电话：74125771。电子邮箱：nbock@jluadegi.chr.cn

Zhù zhǐ: Jiǎng Yáng Lǐng Shānxī Shěng Shuò Zhōu Shì Shān Yīn Xiàn Shǒu Lǐng Lù 634 Hào uò Zōu Zhàn (Yóuzhèng Biānmǎ：836957). Liánxì Diànhuà：74125771. Diànzǐ Yóuxiāng：nbock@jluadegi.chr.cn

Yang Ling Jiang, Shuozhou Railway Station, 634 Shou Ling Road, Sanyin County, Shuozhou, Shanxi. Postal Code: 836957. Phone Number：74125771. E-mail：nbock@jluadegi.chr.cn

646。姓名: 扶计人

住址（公共汽车站）：山西省阳泉市平定县辉征路 865 号庆冠站（邮政编码：522342）。联系电话：88193901。电子邮箱：tnyzm@grewpaki.transport.cn

Zhù zhǐ: Fú Jì Rén Shānxī Shěng Yángquán Shì Píngdìng Xiàn Huī Zhēng Lù 865 Hào Qìng Guān Zhàn (Yóuzhèng Biānmǎ：522342). Liánxì Diànhuà：88193901. Diànzǐ Yóuxiāng：tnyzm@grewpaki.transport.cn

Ji Ren Fu, Qing Guan Bus Station, 865 Hui Zheng Road, Pingding County, Yangquan, Shanxi. Postal Code: 522342. Phone Number：88193901. E-mail：tnyzm@grewpaki.transport.cn

647。姓名: 厉译食

住址（火车站）：山西省晋城市城区昌全路 869 号晋城站（邮政编码：430656）。联系电话：39057505。电子邮箱：tldwv@zghpvfxb.chr.cn

Zhù zhǐ: Lì Yì Yì Shānxī Shěng Jìnchéng Shì Chéngqū Chāng Quán Lù 869 Hào Jncéng Zhàn (Yóuzhèng Biānmǎ： 430656). Liánxì Diànhuà： 39057505. Diànzǐ Yóuxiāng： tldwv@zghpvfxb.chr.cn

Yi Yi Li, Jincheng Railway Station, 869 Chang Quan Road, Urban Area, Jincheng, Shanxi. Postal Code: 430656. Phone Number： 39057505. E-mail： tldwv@zghpvfxb.chr.cn

648。姓名: 商翼焯

住址（博物院）：山西省忻州市宁武县铁陆路 765 号忻州博物馆（邮政编码：594926）。联系电话：31455559。电子邮箱：tpkuq@mpzurabe.museums.cn

Zhù zhǐ: Shāng Yì Zhuō Shānxī Shěng Xīnzhōu Shì Níng Wǔ Xiàn Fū Lù Lù 765 Hào Xīnzōu Bó Wù Guǎn (Yóuzhèng Biānmǎ： 594926). Liánxì Diànhuà： 31455559. Diànzǐ Yóuxiāng： tpkuq@mpzurabe.museums.cn

Yi Zhuo Shang, Xinzhou Museum, 765 Fu Lu Road, Ningwu County, Xinzhou, Shanxi. Postal Code: 594926. Phone Number： 31455559. E-mail： tpkuq@mpzurabe.museums.cn

649。姓名: 嵇石斌

住址（酒店）：山西省运城市稷山县王葆路 893 号桥豪酒店（邮政编码：433929）。联系电话：31241892。电子邮箱：meqnh@akegyofn.biz.cn

Zhù zhǐ: Jī Shí Bīn Shānxī Shěng Yùn Chéng Shì Jì Shān Xiàn Wáng Bǎo Lù 893 Hào Qiáo Háo Jiǔ Diàn (Yóuzhèng Biānmǎ： 433929). Liánxì Diànhuà： 31241892. Diànzǐ Yóuxiāng： meqnh@akegyofn.biz.cn

Shi Bin Ji, Qiao Hao Hotel, 893 Wang Bao Road, Jishan County, Yuncheng, Shanxi. Postal Code: 433929. Phone Number： 31241892. E-mail： meqnh@akegyofn.biz.cn

650。姓名: 卫楚光

住址（寺庙）：山西省临汾市汾西县珂福路 400 号启腾寺（邮政编码：784190）。联系电话：22338403。电子邮箱：hwdzk@dsiuzakx.god.cn

Zhù zhǐ: Wèi Chǔ Guāng Shānxī Shěng Línfén Shì Fén Xī Xiàn Kē Fú Lù 400 Hào Qǐ Téng Sì (Yóuzhèng Biānmǎ：784190). Liánxì Diànhuà：22338403. Diànzǐ Yóuxiāng：hwdzk@dsiuzakx.god.cn

Chu Guang Wei, Qi Teng Temple, 400 Ke Fu Road, Fenxi County, Linfen, Shanxi. Postal Code: 784190. Phone Number：22338403. E-mail：hwdzk@dsiuzakx.god.cn

651。姓名: 明秀惟

住址（医院）：山西省朔州市平鲁区胜歧路 652 号葛懂医院（邮政编码：492918）。联系电话：62747116。电子邮箱：jetcr@seibtgxu.health.cn

Zhù zhǐ: Míng Xiù Wéi Shānxī Shěng Shuò Zhōu Shì Píng Lǔ Qū Shēng Qí Lù 652 Hào Gé Dǒng Yī Yuàn (Yóuzhèng Biānmǎ：492918). Liánxì Diànhuà：62747116. Diànzǐ Yóuxiāng：jetcr@seibtgxu.health.cn

Xiu Wei Ming, Ge Dong Hospital, 652 Sheng Qi Road, Pinglu District, Shuozhou, Shanxi. Postal Code: 492918. Phone Number：62747116. E-mail：jetcr@seibtgxu.health.cn

652。姓名: 巫马渊金

住址（大学）：山西省运城市夏县奎渊大学福独路 684 号（邮政编码：298203）。联系电话：48331031。电子邮箱：ueyah@hezlimnu.edu.cn

Zhù zhǐ: Wūmǎ Yuān Jīn Shānxī Shěng Yùn Chéng Shì Xià Xiàn Kuí Yuān DàxuéFú Dú Lù 684 Hào (Yóuzhèng Biānmǎ：298203). Liánxì Diànhuà：48331031. Diànzǐ Yóuxiāng：ueyah@hezlimnu.edu.cn

Yuan Jin Wuma, Kui Yuan University, 684 Fu Du Road, Xia County, Yuncheng, Shanxi. Postal Code: 298203. Phone Number：48331031. E-mail：ueyah@hezlimnu.edu.cn

653。姓名: 刘甫奎

住址（机场）：山西省吕梁市交城县冠阳路 928 号吕梁钊泽国际机场（邮政编码：821493）。联系电话：49611342。电子邮箱：ehtoa@hetvjnsr.airports.cn

Zhù zhǐ: Liú Fǔ Kuí Shānxī Shěng Lǚliáng Shì Jiāo Chéng Xiàn Guàn Yáng Lù 928 Hào Lǚliáng Zhāo Zé Guó Jì Jī Chǎng (Yóuzhèng Biānmǎ：821493). Liánxì Diànhuà：49611342. Diànzǐ Yóuxiāng：ehtoa@hetvjnsr.airports.cn

Fu Kui Liu, Luliang Zhao Ze International Airport, 928 Guan Yang Road, Jiaocheng County, Luliang, Shanxi. Postal Code: 821493. Phone Number：49611342. E-mail：ehtoa@hetvjnsr.airports.cn

654。姓名: 巢原鸣

住址（大学）：山西省运城市平陆县敬谢大学钢坡路 450 号（邮政编码：222571）。联系电话：37085150。电子邮箱：uowmv@vrjwsodh.edu.cn

Zhù zhǐ: Cháo Yuán Míng Shānxī Shěng Yùn Chéng Shì Píng Lù Xiàn Jìng Xiè DàxuéGāng Pō Lù 450 Hào (Yóuzhèng Biānmǎ：222571). Liánxì Diànhuà：37085150. Diànzǐ Yóuxiāng：uowmv@vrjwsodh.edu.cn

Yuan Ming Chao, Jing Xie University, 450 Gang Po Road, Pinglu County, Yuncheng, Shanxi. Postal Code: 222571. Phone Number：37085150. E-mail：uowmv@vrjwsodh.edu.cn

655。姓名: 康山星

住址（大学）：山西省临汾市汾西县德员大学兆奎路 493 号（邮政编码：116923）。联系电话：74756247。电子邮箱：upcjg@hnbpowic.edu.cn

Zhù zhǐ: Kāng Shān Xīng Shānxī Shěng Línfén Shì Fén Xī Xiàn Dé Yuán DàxuéZhào Kuí Lù 493 Hào (Yóuzhèng Biānmǎ：116923). Liánxì Diànhuà：74756247. Diànzǐ Yóuxiāng：upcjg@hnbpowic.edu.cn

Shan Xing Kang, De Yuan University, 493 Zhao Kui Road, Fenxi County, Linfen, Shanxi. Postal Code: 116923. Phone Number：74756247. E-mail：upcjg@hnbpowic.edu.cn

656。姓名: 符鹤白

住址（机场）：山西省运城市垣曲县九领路 331 号运城阳隆国际机场（邮政编码：615416）。联系电话：40218611。电子邮箱：sbzlv@eouxmhdi.airports.cn

Zhù zhǐ: Fú Hè Bái Shānxī Shěng Yùn Chéng Shì Yuán Qū Xiàn Jiǔ Lǐng Lù 331 Hào Yùn Céng Yáng Lóng Guó Jì Jī Chǎng (Yóuzhèng Biānmǎ：615416). Liánxì Diànhuà：40218611. Diànzǐ Yóuxiāng：sbzlv@eouxmhdi.airports.cn

He Bai Fu, Yuncheng Yang Long International Airport, 331 Jiu Ling Road, Yuanqu County, Yuncheng, Shanxi. Postal Code: 615416. Phone Number：40218611. E-mail：sbzlv@eouxmhdi.airports.cn

657。姓名: 慕员隆

住址（酒店）：山西省临汾市乡宁县葆臻路 119 号浩乙酒店（邮政编码：300752）。联系电话：35986803。电子邮箱：nhibw@wuvphcgi.biz.cn

Zhù zhǐ: Mù Yuán Lóng Shānxī Shěng Línfén Shì Xiāng Níngxiàn Bǎo Zhēn Lù 119 Hào Hào Yǐ Jiǔ Diàn (Yóuzhèng Biānmǎ：300752). Liánxì Diànhuà：35986803. Diànzǐ Yóuxiāng：nhibw@wuvphcgi.biz.cn

Yuan Long Mu, Hao Yi Hotel, 119 Bao Zhen Road, Xiangning County, Linfen, Shanxi. Postal Code: 300752. Phone Number：35986803. E-mail：nhibw@wuvphcgi.biz.cn

658。姓名: 终辉进

住址（医院）：山西省长治市武乡县鹤克路 743 号土铁医院（邮政编码：305010）。联系电话：73842927。电子邮箱：nqiyj@mkhblxur.health.cn

Zhù zhǐ: Zhōng Huī Jìn Shānxī Shěng Chángzhì Shì Wǔ Xiāng Xiàn Hè Kè Lù 743 Hào Tǔ Fū Yī Yuàn (Yóuzhèng Biānmǎ：305010). Liánxì Diànhuà：73842927. Diànzǐ Yóuxiāng：nqiyj@mkhblxur.health.cn

Hui Jin Zhong, Tu Fu Hospital, 743 He Ke Road, Wuxiang County, Changzhi, Shanxi. Postal Code: 305010. Phone Number：73842927. E-mail：nqiyj@mkhblxur.health.cn

659。姓名: 蒲涛葛

住址（机场）：山西省晋城市高平市翼禹路 210 号晋城桥辙国际机场（邮政编码：666725）。联系电话：80485591。电子邮箱：aqgcz@vtamwlfh.airports.cn

Zhù zhǐ: Pú Tāo Gé Shānxī Shěng Jìnchéng Shì Gāopíng Shì Yì Yǔ Lù 210 Hào Jncéng Qiáo Zhé Guó Jì Jī Chǎng (Yóuzhèng Biānmǎ：666725). Liánxì Diànhuà：80485591. Diànzǐ Yóuxiāng：aqgcz@vtamwlfh.airports.cn

Tao Ge Pu, Jincheng Qiao Zhe International Airport, 210 Yi Yu Road, Gaoping City, Jincheng, Shanxi. Postal Code: 666725. Phone Number：80485591. E-mail：aqgcz@vtamwlfh.airports.cn

660。姓名: 卜铭恩

住址（家庭）：山西省晋城市沁水县员全路 391 号桥人公寓 38 层 386 室（邮政编码：949651）。联系电话：77652704。电子邮箱：wozeg@nkoyvmpc.cn

Zhù zhǐ: Bǔ Míng Ēn Shānxī Shěng Jìnchéng Shì Qìn Shuǐ Xiàn Yún Quán Lù 391 Hào Qiáo Rén Gōng Yù 38 Céng 386 Shì (Yóuzhèng Biānmǎ：949651). Liánxì Diànhuà：77652704. Diànzǐ Yóuxiāng：wozeg@nkoyvmpc.cn

Ming En Bu, Room# 386, Floor# 38, Qiao Ren Apartment, 391 Yun Quan Road, Qinshui County, Jincheng, Shanxi. Postal Code: 949651. Phone Number：77652704. E-mail： wozeg@nkoyvmpc.cn

## CHAPTER 3: NAME, SURNAME & ADDRESSES (61-90)

661。姓名: 赵愈郁

住址（家庭）：山西省临汾市古县泽计路 662 号其振公寓 25 层 405 室（邮政编码：685048）。联系电话：96339586。电子邮箱：vnsqf@ovtxfksa.cn

Zhù zhǐ: Zhào Yù Yù Shānxī Shěng Línfén Shì Gǔ Xiàn Zé Jì Lù 662 Hào Qí Zhèn Gōng Yù 25 Céng 405 Shì (Yóuzhèng Biānmǎ：685048). Liánxì Diànhuà：96339586. Diànzǐ Yóuxiāng：vnsqf@ovtxfksa.cn

Yu Yu Zhao, Room# 405, Floor# 25, Qi Zhen Apartment, 662 Ze Ji Road, Guxian, Linfen, Shanxi. Postal Code: 685048. Phone Number：96339586. E-mail：vnsqf@ovtxfksa.cn

662。姓名: 束毅祥

住址（湖泊）：山西省太原市万柏林区嘉翰路 438 号来龙湖（邮政编码：582743）。联系电话：27318326。电子邮箱：jnakp@xufripjt.lakes.cn

Zhù zhǐ: Shù Yì Xiáng Shānxī Shěng Tàiyuán Shì Wàn Bólín Qū Jiā Hàn Lù 438 Hào Lái Lóng Hú (Yóuzhèng Biānmǎ：582743). Liánxì Diànhuà：27318326. Diànzǐ Yóuxiāng：jnakp@xufripjt.lakes.cn

Yi Xiang Shu, Lai Long Lake, 438 Jia Han Road, Wan Bolin District, Taiyuan, Shanxi. Postal Code: 582743. Phone Number：27318326. E-mail：jnakp@xufripjt.lakes.cn

663。姓名: 宋鸣茂

住址（博物院）：山西省晋城市泽州县阳化路 232 号晋城博物馆（邮政编码：805712）。联系电话：59916671。电子邮箱：zklmg@sjwqfgml.museums.cn

Zhù zhǐ: Sòng Míng Mào Shānxī Shěng Jìnchéng Shì Zé Zhōu Xiàn Yáng Huà Lù 232 Hào Jncéng Bó Wù Guǎn (Yóuzhèng Biānmǎ：805712). Liánxì Diànhuà：59916671. Diànzǐ Yóuxiāng：zklmg@sjwqfgml.museums.cn

Ming Mao Song, Jincheng Museum, 232 Yang Hua Road, Zezhou County, Jincheng, Shanxi. Postal Code: 805712. Phone Number：59916671. E-mail：zklmg@sjwqfgml.museums.cn

664。姓名: 靳民继

住址（公园）：山西省忻州市五寨县水光路 611 号陆歧公园（邮政编码：561089）。联系电话：78712604。电子邮箱：awjzq@pawkdeob.parks.cn

Zhù zhǐ: Jìn Mín Jì Shānxī Shěng Xīnzhōu Shì Wǔ Zhài Xiàn Shuǐ Guāng Lù 611 Hào Lù Qí Gōng Yuán (Yóuzhèng Biānmǎ：561089). Liánxì Diànhuà：78712604. Diànzǐ Yóuxiāng：awjzq@pawkdeob.parks.cn

Min Ji Jin, Lu Qi Park, 611 Shui Guang Road, Wuzhai County, Xinzhou, Shanxi. Postal Code: 561089. Phone Number：78712604. E-mail：awjzq@pawkdeob.parks.cn

665。姓名: 暴强圣

住址（博物院）：山西省晋中市左权县屹土路 828 号晋中博物馆（邮政编码：144306）。联系电话：78207897。电子邮箱：cefgu@zmjydcqb.museums.cn

Zhù zhǐ: Bào Qiǎng Shèng Shānxī Shěng Jìn Zhōng Shì Zuǒquán Xiàn Yì Tǔ Lù 828 Hào Jn Zōng Bó Wù Guǎn (Yóuzhèng Biānmǎ：144306). Liánxì Diànhuà：78207897. Diànzǐ Yóuxiāng：cefgu@zmjydcqb.museums.cn

Qiang Sheng Bao, Jinzhong Museum, 828 Yi Tu Road, Zuoquan County, Jinzhong, Shanxi. Postal Code: 144306. Phone Number：78207897. E-mail：cefgu@zmjydcqb.museums.cn

666。姓名: 璩石食

住址（家庭）：山西省阳泉市平定县庆九路 483 号伦来公寓 34 层 278 室（邮政编码：574392）。联系电话：44971164。电子邮箱：vfgjz@acefqpvt.cn

Zhù zhǐ: Qú Dàn Shí Shānxī Shěng Yángquán Shì Píngdìng Xiàn Qìng Jiǔ Lù 483 Hào Lún Lái Gōng Yù 34 Céng 278 Shì (Yóuzhèng Biānmǎ：574392). Liánxì Diànhuà：44971164. Diànzǐ Yóuxiāng：vfgjz@acefqpvt.cn

Dan Shi Qu, Room# 278, Floor# 34, Lun Lai Apartment, 483 Qing Jiu Road, Pingding County, Yangquan, Shanxi. Postal Code: 574392. Phone Number：44971164. E-mail：vfgjz@acefqpvt.cn

667。姓名: 赏冕冠

住址（博物院）：山西省运城市临猗县星毅路 736 号运城博物馆（邮政编码：930169）。联系电话：59214038。电子邮箱：uncfp@sfjbvwmd.museums.cn

Zhù zhǐ: Shǎng Miǎn Guān Shānxī Shěng Yùn Chéng Shì Lín Yī Xiàn Xīng Yì Lù 736 Hào Yùn Céng Bó Wù Guǎn (Yóuzhèng Biānmǎ：930169). Liánxì Diànhuà：59214038. Diànzǐ Yóuxiāng：uncfp@sfjbvwmd.museums.cn

Mian Guan Shang, Yuncheng Museum, 736 Xing Yi Road, Linyi County, Yuncheng, Shanxi. Postal Code: 930169. Phone Number：59214038. E-mail：uncfp@sfjbvwmd.museums.cn

668。姓名: 缪员全

住址（博物院）：山西省吕梁市汾阳市乐陶路 552 号吕梁博物馆（邮政编码：546723）。联系电话：50280994。电子邮箱：zbdrg@ygdtrvaf.museums.cn

Zhù zhǐ: Miào Yuán Quán Shānxī Shěng Lǚliáng Shì Fén Yáng Shì Lè Táo Lù 552 Hào Lǚliáng Bó Wù Guǎn (Yóuzhèng Biānmǎ：546723). Liánxì Diànhuà：50280994. Diànzǐ Yóuxiāng：zbdrg@ygdtrvaf.museums.cn

Yuan Quan Miao, Luliang Museum, 552 Le Tao Road, Fenyang City, Luliang, Shanxi. Postal Code: 546723. Phone Number：50280994. E-mail：zbdrg@ygdtrvaf.museums.cn

669。姓名: 符陆员

住址（家庭）：山西省长治市上党区九钢路 934 号嘉惟公寓 21 层 675 室（邮政编码：397264）。联系电话：73636237。电子邮箱：drsgw@kcwarsyo.cn

Zhù zhǐ: Fú Lù Yuán Shānxī Shěng Chángzhì Shì Shàng Dǎng Qū Jiǔ Gāng Lù 934 Hào Jiā Wéi Gōng Yù 21 Céng 675 Shì (Yóuzhèng Biānmǎ：397264). Liánxì Diànhuà：73636237. Diànzǐ Yóuxiāng：drsgw@kcwarsyo.cn

Lu Yuan Fu, Room# 675, Floor# 21, Jia Wei Apartment, 934 Jiu Gang Road, Shangdang District, Changzhi, Shanxi. Postal Code: 397264. Phone Number：73636237. E-mail：drsgw@kcwarsyo.cn

670。姓名: 诸禹智

住址（家庭）：山西省大同市天镇县黎其路 710 号胜洵公寓 18 层 677 室（邮政编码：431646）。联系电话：87441259。电子邮箱：mugqd@wgbmdrxt.cn

Zhù zhǐ: Zhū Yǔ Zhì Shānxī Shěng Dàtóng Shì Tiān Zhèn Xiàn Lí Qí Lù 710 Hào Shēng Xún Gōng Yù 18 Céng 677 Shì (Yóuzhèng Biānmǎ：431646). Liánxì Diànhuà：87441259. Diànzǐ Yóuxiāng：mugqd@wgbmdrxt.cn

Yu Zhi Zhu, Room# 677, Floor# 18, Sheng Xun Apartment, 710 Li Qi Road, Tianzhen County, Datong, Shanxi. Postal Code: 431646. Phone Number：87441259. E-mail：mugqd@wgbmdrxt.cn

671。姓名: 穀梁中楚

住址（火车站）：山西省太原市杏花岭区洵庆路 367 号太原站（邮政编码：420299）。联系电话：83205411。电子邮箱：abfch@tclynibf.chr.cn

Zhù zhǐ: Gǔliáng Zhōng Chǔ Shānxī Shěng Tàiyuán Shì Xìng Huā Lǐng Qū Xún Qìng Lù 367 Hào Tàiyuán Zhàn  (Yóuzhèng Biānmǎ：420299). Liánxì Diànhuà：83205411. Diànzǐ Yóuxiāng：abfch@tclynibf.chr.cn

Zhong Chu Guliang, Taiyuan Railway Station, 367 Xun Qing Road, Xinghualing District, Taiyuan, Shanxi. Postal Code: 420299. Phone Number：83205411. E-mail：abfch@tclynibf.chr.cn

672。姓名: 哈智冕

住址（公司）：山西省临汾市侯马市王兵路 534 号原晗有限公司（邮政编码：637875）。联系电话：95522158。电子邮箱：ymibu@aphzdbyv.biz.cn

Zhù zhǐ: Hǎ Zhì Miǎn Shānxī Shěng Línfén Shì Hóu Mǎ Shì Wáng Bīng Lù 534 Hào Yuán Hán Yǒuxiàn Gōngsī (Yóuzhèng Biānmǎ：637875). Liánxì Diànhuà：95522158. Diànzǐ Yóuxiāng：ymibu@aphzdbyv.biz.cn

Zhi Mian Ha, Yuan Han Corporation, 534 Wang Bing Road, Houma, Linfen, Shanxi. Postal Code: 637875. Phone Number：95522158. E-mail：ymibu@aphzdbyv.biz.cn

673。姓名: 阴水员

住址（湖泊）：山西省阳泉市郊区乐大路 250 号翰阳湖（邮政编码：251789）。联系电话：79554899。电子邮箱：gwiby@brlhxyak.lakes.cn

Zhù zhǐ: Yīn Shuǐ Yún Shānxī Shěng Yángquán Shì Jiāoqū Lè Dài Lù 250 Hào Hàn Yáng Hú (Yóuzhèng Biānmǎ：251789). Liánxì Diànhuà：79554899. Diànzǐ Yóuxiāng：gwiby@brlhxyak.lakes.cn

Shui Yun Yin, Han Yang Lake, 250 Le Dai Road, Jiao District, Yangquan, Shanxi. Postal Code: 251789. Phone Number：79554899. E-mail：gwiby@brlhxyak.lakes.cn

674。姓名: 薄恩钊

住址（医院）：山西省太原市古交市磊星路 341 号昌食医院（邮政编码：495964）。联系电话：78321190。电子邮箱：asoex@wvaixcrq.health.cn

Zhù zhǐ: Bó Ēn Zhāo Shānxī Shěng Tàiyuán Shì Gǔ Jiāo Shì Lěi Xīng Lù 341 Hào Chāng Sì Yī Yuàn (Yóuzhèng Biānmǎ：495964). Liánxì Diànhuà：78321190. Diànzǐ Yóuxiāng：asoex@wvaixcrq.health.cn

En Zhao Bo, Chang Si Hospital, 341 Lei Xing Road, Gujiao City, Taiyuan, Shanxi. Postal Code: 495964. Phone Number：78321190. E-mail：asoex@wvaixcrq.health.cn

675。姓名: 米九伦

住址（机场）：山西省朔州市平鲁区食世路 147 号朔州圣己国际机场（邮政编码：247276）。联系电话：85953666。电子邮箱：xbofv@zjhdfrev.airports.cn

Zhù zhǐ: Mǐ Jiǔ Lún Shānxī Shěng Shuò Zhōu Shì Píng Lǔ Qū Sì Shì Lù 147 Hào uò Zōu Shèng Jǐ Guó Jì Jī Chǎng (Yóuzhèng Biānmǎ：247276). Liánxì Diànhuà：85953666. Diànzǐ Yóuxiāng：xbofv@zjhdfrev.airports.cn

Jiu Lun Mi, Shuozhou Sheng Ji International Airport, 147 Si Shi Road, Pinglu District, Shuozhou, Shanxi. Postal Code: 247276. Phone Number：85953666. E-mail：xbofv@zjhdfrev.airports.cn

676。姓名: 武勇锡

住址（公园）：山西省晋城市沁水县冠启路 727 号浩人公园（邮政编码：973980）。联系电话：45740843。电子邮箱：smikq@lxdwchzs.parks.cn

Zhù zhǐ: Wǔ Yǒng Xī Shānxī Shěng Jìnchéng Shì Qìn Shuǐ Xiàn Guān Qǐ Lù 727 Hào Hào Rén Gōng Yuán (Yóuzhèng Biānmǎ：973980). Liánxì Diànhuà：45740843. Diànzǐ Yóuxiāng：smikq@lxdwchzs.parks.cn

Yong Xi Wu, Hao Ren Park, 727 Guan Qi Road, Qinshui County, Jincheng, Shanxi. Postal Code: 973980. Phone Number：45740843. E-mail：smikq@lxdwchzs.parks.cn

677。姓名: 董化振

住址（湖泊）：山西省吕梁市离石区宽亮路 220 号敬红湖（邮政编码：410876）。联系电话：24591650。电子邮箱：dwcyg@uvxmaoij.lakes.cn

Zhù zhǐ: Dǒng Huà Zhèn Shānxī Shěng Lǚliáng Shì Lí Shí Qū Kuān Liàng Lù 220 Hào Jìng Hóng Hú (Yóuzhèng Biānmǎ：410876). Liánxì Diànhuà：24591650. Diànzǐ Yóuxiāng：dwcyg@uvxmaoij.lakes.cn

Hua Zhen Dong, Jing Hong Lake, 220 Kuan Liang Road, Lishi District, Luliang, Shanxi. Postal Code: 410876. Phone Number：24591650. E-mail：dwcyg@uvxmaoij.lakes.cn

678。姓名: 宗不冠

住址（酒店）：山西省太原市杏花岭区中坚路 828 号风征酒店（邮政编码：979455）。联系电话：95921446。电子邮箱：nvise@ftxzlrds.biz.cn

Zhù zhǐ: Zōng Bù Guàn Shānxī Shěng Tàiyuán Shì Xìng Huā Lǐng Qū Zhòng Jiān Lù 828 Hào Fēng Zhēng Jiǔ Diàn (Yóuzhèng Biānmǎ：979455). Liánxì Diànhuà：95921446. Diànzǐ Yóuxiāng：nvise@ftxzlrds.biz.cn

Bu Guan Zong, Feng Zheng Hotel, 828 Zhong Jian Road, Xinghualing District, Taiyuan, Shanxi. Postal Code: 979455. Phone Number：95921446. E-mail：nvise@ftxzlrds.biz.cn

679。姓名: 殷阳员

住址（博物院）：山西省运城市稷山县坤王路 261 号运城博物馆（邮政编码：315191）。联系电话：93015031。电子邮箱：djhmp@mfsnywep.museums.cn

Zhù zhǐ: Yīn Yáng Yún Shānxī Shěng Yùn Chéng Shì Jì Shān Xiàn Kūn Wàng Lù 261 Hào Yùn Céng Bó Wù Guǎn (Yóuzhèng Biānmǎ：315191). Liánxì Diànhuà：93015031. Diànzǐ Yóuxiāng：djhmp@mfsnywep.museums.cn

Yang Yun Yin, Yuncheng Museum, 261 Kun Wang Road, Jishan County, Yuncheng, Shanxi. Postal Code: 315191. Phone Number：93015031. E-mail：djhmp@mfsnywep.museums.cn

680。姓名: 翟友计

住址（博物院）：山西省长治市沁源县红源路 122 号长治博物馆（邮政编码：503855）。联系电话：55604478。电子邮箱：ymuol@ghfsrexi.museums.cn

Zhù zhǐ: Zhái Yǒu Jì Shānxī Shěng Chángzhì Shì Qìn Yuán Xiàn Hóng Yuán Lù 122 Hào Cángz Bó Wù Guǎn (Yóuzhèng Biānmǎ：503855). Liánxì Diànhuà：55604478. Diànzǐ Yóuxiāng：ymuol@ghfsrexi.museums.cn

You Ji Zhai, Changzhi Museum, 122 Hong Yuan Road, Qinyuan County, Changzhi, Shanxi. Postal Code: 503855. Phone Number：55604478. E-mail：ymuol@ghfsrexi.museums.cn

681。姓名: 宗强风

住址（寺庙）：山西省晋中市和顺县伦坤路 569 号毅发寺（邮政编码：319715）。联系电话：42952632。电子邮箱：jyibe@dbghauks.god.cn

Zhù zhǐ: Zōng Qiǎng Fēng Shānxī Shěng Jìn Zhōng Shì Héshùn Xiàn Lún Kūn Lù 569 Hào Yì Fā Sì (Yóuzhèng Biānmǎ：319715). Liánxì Diànhuà：42952632. Diànzǐ Yóuxiāng：jyibe@dbghauks.god.cn

Qiang Feng Zong, Yi Fa Temple, 569 Lun Kun Road, Heshun County, Jinzhong, Shanxi. Postal Code: 319715. Phone Number：42952632. E-mail：jyibe@dbghauks.god.cn

682。姓名: 侯乙岐

住址（公司）：山西省临汾市大宁县谢浩路 290 号领守有限公司（邮政编码：873216）。联系电话：13332582。电子邮箱：smwkv@miudqpfe.biz.cn

Zhù zhǐ: Hóu Yǐ Qí Shānxī Shěng Línfén Shì Dà Níngxiàn Xiè Hào Lù 290 Hào Lǐng Shǒu Yǒuxiàn Gōngsī (Yóuzhèng Biānmǎ：873216). Liánxì Diànhuà：13332582. Diànzǐ Yóuxiāng：smwkv@miudqpfe.biz.cn

Yi Qi Hou, Ling Shou Corporation, 290 Xie Hao Road, Daning County, Linfen, Shanxi. Postal Code: 873216. Phone Number：13332582. E-mail：smwkv@miudqpfe.biz.cn

683。姓名: 第五铁勇

住址（公园）：山西省太原市娄烦县晖国路 445 号涛秀公园（邮政编码：451473）。联系电话：61625896。电子邮箱：wkzvs@psvhbcry.parks.cn

Zhù zhǐ: Dìwǔ Tiě Yǒng Shānxī Shěng Tàiyuán Shì Lóu Fán Xiàn Huī Guó Lù 445 Hào Tāo Xiù Gōng Yuán (Yóuzhèng Biānmǎ：451473). Liánxì Diànhuà：61625896. Diànzǐ Yóuxiāng：wkzvs@psvhbcry.parks.cn

Tie Yong Diwu, Tao Xiu Park, 445 Hui Guo Road, Loufan County, Taiyuan, Shanxi. Postal Code: 451473. Phone Number：61625896. E-mail：wkzvs@psvhbcry.parks.cn

684。姓名: 韩居甫

住址（火车站）：山西省大同市阳高县黎科路 668 号大同站（邮政编码：480986）。联系电话：20172834。电子邮箱：zskmt@hnvltmxz.chr.cn

Zhù zhǐ: Hán Jū Fǔ Shānxī Shěng Dàtóng Shì Yáng gāo xiàn Lí Kē Lù 668 Hào Dàtóng Zhàn (Yóuzhèng Biānmǎ：480986). Liánxì Diànhuà：20172834. Diànzǐ Yóuxiāng：zskmt@hnvltmxz.chr.cn

Ju Fu Han, Datong Railway Station, 668 Li Ke Road, Yanggao County, Datong, Shanxi. Postal Code: 480986. Phone Number：20172834. E-mail：zskmt@hnvltmxz.chr.cn

685。姓名: 辛岐勇

住址（家庭）：山西省阳泉市城区国化路 963 号不白公寓 32 层 123 室（邮政编码：416025）。联系电话：15948571。电子邮箱：nyzds@jsyfgqlc.cn

Zhù zhǐ: Xīn Qí Yǒng Shānxī Shěng Yángquán Shì Chéngqū Guó Huà Lù 963 Hào Bù Bái Gōng Yù 32 Céng 123 Shì (Yóuzhèng Biānmǎ：416025). Liánxì Diànhuà：15948571. Diànzǐ Yóuxiāng：nyzds@jsyfgqlc.cn

Qi Yong Xin, Room# 123, Floor# 32, Bu Bai Apartment, 963 Guo Hua Road, Urban Area, Yangquan, Shanxi. Postal Code: 416025. Phone Number：15948571. E-mail：nyzds@jsyfgqlc.cn

686。姓名: 卢龙土

住址（公共汽车站）：山西省长治市上党区惟跃路 174 号沛冕站（邮政编码：371868）。联系电话：90908466。电子邮箱：eudcs@osqimdnt.transport.cn

Zhù zhǐ: Lú Lóng Tǔ Shānxī Shěng Chángzhì Shì Shàng Dǎng Qū Wéi Yuè Lù 174 Hào Bèi Miǎn Zhàn (Yóuzhèng Biānmǎ：371868). Liánxì Diànhuà：90908466. Diànzǐ Yóuxiāng：eudcs@osqimdnt.transport.cn

Long Tu Lu, Bei Mian Bus Station, 174 Wei Yue Road, Shangdang District, Changzhi, Shanxi. Postal Code: 371868. Phone Number：90908466. E-mail：eudcs@osqimdnt.transport.cn

687。姓名: 浦不奎

住址（大学）：山西省忻州市五寨县计食大学炯甫路 135 号（邮政编码：360897）。联系电话：71202877。电子邮箱：vfleh@htbfwoqd.edu.cn

Zhù zhǐ: Pǔ Bù Kuí Shānxī Shěng Xīnzhōu Shì Wǔ Zhài Xiàn Jì Shí DàxuéJiǒng Fǔ Lù 135 Hào (Yóuzhèng Biānmǎ：360897). Liánxì Diànhuà：71202877. Diànzǐ Yóuxiāng：vfleh@htbfwoqd.edu.cn

Bu Kui Pu, Ji Shi University, 135 Jiong Fu Road, Wuzhai County, Xinzhou, Shanxi. Postal Code: 360897. Phone Number：71202877. E-mail：vfleh@htbfwoqd.edu.cn

688。姓名: 王亚咚

住址（酒店）：山西省阳泉市平定县辙渊路 703 号仲钦酒店（邮政编码：187273）。联系电话：93503183。电子邮箱：vjfcm@zxuagcpk.biz.cn

Zhù zhǐ: Wáng Yà Dōng Shānxī Shěng Yángquán Shì Píngdìng Xiàn Zhé Yuān Lù 703 Hào Zhòng Qīn Jiǔ Diàn (Yóuzhèng Biānmǎ：187273). Liánxì Diànhuà：93503183. Diànzǐ Yóuxiāng：vjfcm@zxuagcpk.biz.cn

Ya Dong Wang, Zhong Qin Hotel, 703 Zhe Yuan Road, Pingding County, Yangquan, Shanxi. Postal Code: 187273. Phone Number：93503183. E-mail：vjfcm@zxuagcpk.biz.cn

689。姓名: 靳钦甫

住址（博物院）：山西省朔州市右玉县澜乐路 921 号朔州博物馆（邮政编码：206080）。联系电话：62218453。电子邮箱：vmiwf@tymcowls.museums.cn

Zhù zhǐ: Jìn Qīn Fǔ Shānxī Shěng Shuò Zhōu Shì Yòu Yù Xiàn Lán Lè Lù 921 Hào uò Zōu Bó Wù Guǎn (Yóuzhèng Biānmǎ：206080). Liánxì Diànhuà：62218453. Diànzǐ Yóuxiāng：vmiwf@tymcowls.museums.cn

Qin Fu Jin, Shuozhou Museum, 921 Lan Le Road, Youyu County, Shuozhou, Shanxi. Postal Code: 206080. Phone Number：62218453. E-mail：vmiwf@tymcowls.museums.cn

690。姓名: 廖钢维

住址（湖泊）：山西省临汾市襄汾县汉兆路 499 号波克湖（邮政编码：308778）。联系电话：28094485。电子邮箱：znstv@hvjzumpo.lakes.cn

Zhù zhǐ: Liào Gāng Wéi Shānxī Shěng Línfén Shì Xiāng Fén Xiàn Hàn Zhào Lù 499 Hào Bō Kè Hú (Yóuzhèng Biānmǎ：308778). Liánxì Diànhuà：28094485. Diànzǐ Yóuxiāng：znstv@hvjzumpo.lakes.cn

Gang Wei Liao, Bo Ke Lake, 499 Han Zhao Road, Xiangfen County, Linfen, Shanxi. Postal Code: 308778. Phone Number：28094485. E-mail：znstv@hvjzumpo.lakes.cn

## CHAPTER 4: NAME, SURNAME & ADDRESSES (91-120)

691。姓名: 喻稼先

住址（公共汽车站）：山西省晋城市高平市乐德路 430 号澜民站（邮政编码：143869）。联系电话：81181397。电子邮箱：sypcm@obasicuk.transport.cn

Zhù zhǐ: Yù Jià Xiān Shānxī Shěng Jìnchéng Shì Gāopíng Shì Lè Dé Lù 430 Hào Lán Mín Zhàn (Yóuzhèng Biānmǎ：143869). Liánxì Diànhuà：81181397. Diànzǐ Yóuxiāng：sypcm@obasicuk.transport.cn

Jia Xian Yu, Lan Min Bus Station, 430 Le De Road, Gaoping City, Jincheng, Shanxi. Postal Code: 143869. Phone Number：81181397. E-mail：sypcm@obasicuk.transport.cn

692。姓名: 邰自晖

住址（家庭）：山西省吕梁市岚县其继路 883 号坡沛公寓 26 层 914 室（邮政编码：267700）。联系电话：45241472。电子邮箱：qagpv@zfcosqdt.cn

Zhù zhǐ: Tái Zì Huī Shānxī Shěng Lǚliáng Shì Lán Xiàn Qí Jì Lù 883 Hào Pō Pèi Gōng Yù 26 Céng 914 Shì (Yóuzhèng Biānmǎ：267700). Liánxì Diànhuà：45241472. Diànzǐ Yóuxiāng：qagpv@zfcosqdt.cn

Zi Hui Tai, Room# 914, Floor# 26, Po Pei Apartment, 883 Qi Ji Road, Lan County, Luliang, Shanxi. Postal Code: 267700. Phone Number：45241472. E-mail：qagpv@zfcosqdt.cn

693。姓名: 席恩沛

住址（公园）：山西省大同市云冈区奎豪路 752 号秀威公园（邮政编码：985168）。联系电话：51286970。电子邮箱：drukh@bjgaecqs.parks.cn

Zhù zhǐ: Xí Ēn Bèi Shānxī Shěng Dàtóng Shì Yún Gāng Qū Kuí Háo Lù 752 Hào Xiù Wēi Gōng Yuán (Yóuzhèng Biānmǎ：985168). Liánxì Diànhuà：51286970. Diànzǐ Yóuxiāng：drukh@bjgaecqs.parks.cn

En Bei Xi, Xiu Wei Park, 752 Kui Hao Road, Yungang District, Datong, Shanxi. Postal Code: 985168. Phone Number：51286970. E-mail：drukh@bjgaecqs.parks.cn

694。姓名: 庚伦汉

住址（大学）：山西省吕梁市兴县德宽大学锡世路 798 号（邮政编码：863682）。联系电话：92262968。电子邮箱：dclqr@vjaylfnu.edu.cn

Zhù zhǐ: Yǔ Lún Hàn Shānxī Shěng Lǚliáng Shì Xìng Xiàn Dé Kuān DàxuéXī Shì Lù 798 Hào (Yóuzhèng Biānmǎ：863682). Liánxì Diànhuà：92262968. Diànzǐ Yóuxiāng：dclqr@vjaylfnu.edu.cn

Lun Han Yu, De Kuan University, 798 Xi Shi Road, Xing County, Luliang, Shanxi. Postal Code: 863682. Phone Number：92262968. E-mail：dclqr@vjaylfnu.edu.cn

695。姓名: 秋澜乐

住址（公共汽车站）：山西省朔州市右玉县振独路 982 号晗腾站（邮政编码：897340）。联系电话：96642151。电子邮箱：cpwoh@dtwfsuzc.transport.cn

Zhù zhǐ: Qiū Lán Lè Shānxī Shěng Shuò Zhōu Shì Yòu Yù Xiàn Zhèn Dú Lù 982 Hào Hán Téng Zhàn (Yóuzhèng Biānmǎ：897340). Liánxì Diànhuà：96642151. Diànzǐ Yóuxiāng：cpwoh@dtwfsuzc.transport.cn

Lan Le Qiu, Han Teng Bus Station, 982 Zhen Du Road, Youyu County, Shuozhou, Shanxi. Postal Code: 897340. Phone Number：96642151. E-mail：cpwoh@dtwfsuzc.transport.cn

696。姓名: 宿其愈

住址（火车站）：山西省运城市新绛县钦中路 313 号运城站（邮政编码：574833）。联系电话：84895996。电子邮箱：olmqh@lwmejrqk.chr.cn

Zhù zhǐ: Sù Qí Yù Shānxī Shěng Yùn Chéng Shì Xīn Jiàng Xiàn Qīn Zhōng Lù 313 Hào Yùn Céng Zhàn (Yóuzhèng Biānmǎ：574833). Liánxì Diànhuà：84895996. Diànzǐ Yóuxiāng：olmqh@lwmejrqk.chr.cn

Qi Yu Su, Yuncheng Railway Station, 313 Qin Zhong Road, Xinjiang County, Yuncheng, Shanxi. Postal Code: 574833. Phone Number：84895996. E-mail：olmqh@lwmejrqk.chr.cn

697。姓名: 经迅岐

住址（医院）：山西省晋中市平遥县甫彬路 350 号圣大医院（邮政编码：976409）。联系电话：64759132。电子邮箱：zydrv@ptwmhzjk.health.cn

Zhù zhǐ: Jīng Xùn Qí Shānxī Shěng Jìn Zhōng Shì Píngyáo Xiàn Fǔ Bīn Lù 350 Hào Shèng Dà Yī Yuàn (Yóuzhèng Biānmǎ：976409). Liánxì Diànhuà：64759132. Diànzǐ Yóuxiāng：zydrv@ptwmhzjk.health.cn

Xun Qi Jing, Sheng Da Hospital, 350 Fu Bin Road, Pingyao County, Jinzhong, Shanxi. Postal Code: 976409. Phone Number：64759132. E-mail：zydrv@ptwmhzjk.health.cn

698。姓名: 姚己波

住址（火车站）：山西省晋城市泽州县员可路 803 号晋城站（邮政编码：765689）。联系电话：45531060。电子邮箱：wipsc@zlknvpxm.chr.cn

Zhù zhǐ: Yáo Jǐ Bō Shānxī Shěng Jìnchéng Shì Zé Zhōu Xiàn Yuán Kě Lù 803 Hào Jncéng Zhàn (Yóuzhèng Biānmǎ：765689). Liánxì Diànhuà：45531060. Diànzǐ Yóuxiāng：wipsc@zlknvpxm.chr.cn

Ji Bo Yao, Jincheng Railway Station, 803 Yuan Ke Road, Zezhou County, Jincheng, Shanxi. Postal Code: 765689. Phone Number：45531060. E-mail：wipsc@zlknvpxm.chr.cn

699。姓名: 皇甫队歧

住址（公共汽车站）：山西省长治市襄垣县腾白路 742 号葆白站（邮政编码：113750）。联系电话：25470950。电子邮箱：cjfhi@umoxcpfs.transport.cn

Zhù zhǐ: Huángpǔ Duì Qí Shānxī Shěng Chángzhì Shì Xiāngyuán Xiàn Téng Bái Lù 742 Hào Bǎo Bái Zhàn (Yóuzhèng Biānmǎ：113750). Liánxì Diànhuà：25470950. Diànzǐ Yóuxiāng：cjfhi@umoxcpfs.transport.cn

Dui Qi Huangpu, Bao Bai Bus Station, 742 Teng Bai Road, Xiangyuan County, Changzhi, Shanxi. Postal Code: 113750. Phone Number：25470950. E-mail：cjfhi@umoxcpfs.transport.cn

700。姓名: 司寇金臻

住址（家庭）：山西省长治市壶关县维锤路 800 号计骥公寓 9 层 340 室（邮政编码：117193）。联系电话：39370956。电子邮箱：luzqb@krunixzm.cn

Zhù zhǐ: Sīkòu Jīn Zhēn Shānxī Shěng Chángzhì Shì Hú Guān Xiàn Wéi Chuí Lù 800 Hào Jì Jì Gōng Yù 9 Céng 340 Shì (Yóuzhèng Biānmǎ：117193). Liánxì Diànhuà：39370956. Diànzǐ Yóuxiāng：luzqb@krunixzm.cn

Jin Zhen Sikou, Room# 340, Floor# 9, Ji Ji Apartment, 800 Wei Chui Road, Huguan County, Changzhi, Shanxi. Postal Code: 117193. Phone Number：39370956. E-mail：luzqb@krunixzm.cn

701。姓名: 颜全化

住址（家庭）：山西省忻州市神池县嘉亭路 444 号岐计公寓 46 层 214 室（邮政编码：117916）。联系电话：67386452。电子邮箱：tikor@kivbtoph.cn

Zhù zhǐ: Yán Quán Huà Shānxī Shěng Xīnzhōu Shì Shénchí Xiàn Jiā Tíng Lù 444 Hào Qí Jì Gōng Yù 46 Céng 214 Shì (Yóuzhèng Biānmǎ：117916). Liánxì Diànhuà：67386452. Diànzǐ Yóuxiāng：tikor@kivbtoph.cn

Quan Hua Yan, Room# 214, Floor# 46, Qi Ji Apartment, 444 Jia Ting Road, Shenchi County, Xinzhou, Shanxi. Postal Code: 117916. Phone Number：67386452. E-mail：tikor@kivbtoph.cn

702。姓名: 计王彬

住址（机场）：山西省临汾市大宁县土勇路 353 号临汾晖歧国际机场（邮政编码：670420）。联系电话：23146212。电子邮箱：ctgyq@usfjxrot.airports.cn

Zhù zhǐ: Jì Wàng Bīn Shānxī Shěng Línfén Shì Dà Níngxiàn Tǔ Yǒng Lù 353 Hào Línfén Huī Qí Guó Jì Jī Chǎng (Yóuzhèng Biānmǎ：670420). Liánxì Diànhuà：23146212. Diànzǐ Yóuxiāng：ctgyq@usfjxrot.airports.cn

Wang Bin Ji, Linfen Hui Qi International Airport, 353 Tu Yong Road, Daning County, Linfen, Shanxi. Postal Code: 670420. Phone Number：23146212. E-mail：ctgyq@usfjxrot.airports.cn

703。姓名: 张九来

住址（机场）：山西省晋城市城区食来路 858 号晋城谢易国际机场（邮政编码：536734）。联系电话：76996500。电子邮箱：otgik@hyvlnixu.airports.cn

Zhù zhǐ: Zhāng Jiǔ Lái Shānxī Shěng Jìnchéng Shì Chéngqū Sì Lái Lù 858 Hào Jncéng Xiè Yì Guó Jì Jī Chǎng (Yóuzhèng Biānmǎ：536734). Liánxì Diànhuà：76996500. Diànzǐ Yóuxiāng：otgik@hyvlnixu.airports.cn

Jiu Lai Zhang, Jincheng Xie Yi International Airport, 858 Si Lai Road, Urban Area, Jincheng, Shanxi. Postal Code: 536734. Phone Number：76996500. E-mail：otgik@hyvlnixu.airports.cn

704。姓名: 盛勇南

住址（湖泊）：山西省阳泉市城区铭淹路 344 号继秀湖（邮政编码：840141）。联系电话：78347157。电子邮箱：cxdqo@rigeavoq.lakes.cn

Zhù zhǐ: Shèng Yǒng Nán Shānxī Shěng Yángquán Shì Chéngqū Míng Yān Lù 344 Hào Jì Xiù Hú (Yóuzhèng Biānmǎ：840141). Liánxì Diànhuà：78347157. Diànzǐ Yóuxiāng：cxdqo@rigeavoq.lakes.cn

Yong Nan Sheng, Ji Xiu Lake, 344 Ming Yan Road, Urban Area, Yangquan, Shanxi. Postal Code: 840141. Phone Number：78347157. E-mail：cxdqo@rigeavoq.lakes.cn

705。姓名: 穆院石

住址（寺庙）：山西省临汾市汾西县院绅路 520 号陆近寺（邮政编码：195997）。联系电话：23857636。电子邮箱：rghcj@fhgqmbds.god.cn

Zhù zhǐ: Mù Yuàn Dàn Shānxī Shěng Línfén Shì Fén Xī Xiàn Yuàn Shēn Lù 520 Hào Liù Jìn Sì (Yóuzhèng Biānmǎ：195997). Liánxì Diànhuà：23857636. Diànzǐ Yóuxiāng：rghcj@fhgqmbds.god.cn

Yuan Dan Mu, Liu Jin Temple, 520 Yuan Shen Road, Fenxi County, Linfen, Shanxi. Postal Code: 195997. Phone Number：23857636. E-mail：rghcj@fhgqmbds.god.cn

706。姓名: 司空院际

住址（公园）：山西省大同市云州区磊葛路 596 号汉铁公园（邮政编码：944577）。联系电话：78127225。电子邮箱：qtkxw@nschiumd.parks.cn

Zhù zhǐ: Sīkōng Yuàn Jì Shānxī Shěng Dàtóng Shì Yún Zhōu Qū Lěi Gé Lù 596 Hào Hàn Yì Gōng Yuán (Yóuzhèng Biānmǎ：944577). Liánxì Diànhuà：78127225. Diànzǐ Yóuxiāng：qtkxw@nschiumd.parks.cn

Yuan Ji Sikong, Han Yi Park, 596 Lei Ge Road, Yunzhou District, Datong, Shanxi. Postal Code: 944577. Phone Number：78127225. E-mail：qtkxw@nschiumd.parks.cn

707。姓名: 有陶茂

住址（广场）：山西省阳泉市矿区兆学路 516 号威冠广场（邮政编码：281484）。联系电话：84132590。电子邮箱：coiyr@ulonjdxw.squares.cn

Zhù zhǐ: Yǒu Táo Mào Shānxī Shěng Yángquán Shì Kuàngqū Zhào Xué Lù 516 Hào Wēi Guàn Guǎng Chǎng (Yóuzhèng Biānmǎ：281484). Liánxì Diànhuà：84132590. Diànzǐ Yóuxiāng：coiyr@ulonjdxw.squares.cn

Tao Mao You, Wei Guan Square, 516 Zhao Xue Road, Mining Area, Yangquan, Shanxi. Postal Code: 281484. Phone Number：84132590. E-mail：coiyr@ulonjdxw.squares.cn

708。姓名: 党斌珂

住址（公共汽车站）：山西省吕梁市文水县冕咚路 747 号石成站（邮政编码：527074）。联系电话：33398402。电子邮箱：qdocn@svgjxkhr.transport.cn

Zhù zhǐ: Dǎng Bīn Kē Shānxī Shěng Lǚliáng Shì Wén Shuǐ Xiàn Miǎn Dōng Lù 747 Hào Shí Chéng Zhàn (Yóuzhèng Biānmǎ：527074). Liánxì Diànhuà：33398402. Diànzǐ Yóuxiāng：qdocn@svgjxkhr.transport.cn

Bin Ke Dang, Shi Cheng Bus Station, 747 Mian Dong Road, Wenshui County, Luliang, Shanxi. Postal Code: 527074. Phone Number：33398402. E-mail：qdocn@svgjxkhr.transport.cn

709。姓名: 裘迅化

住址（公共汽车站）：山西省朔州市怀仁市源石路 533 号腾成站（邮政编码：330051）。联系电话：97453056。电子邮箱：fczrg@vcdrknmy.transport.cn

Zhù zhǐ: Qiú Xùn Huā Shānxī Shěng Shuò Zhōu Shì Huái Rén Shì Yuán Dàn Lù 533 Hào Téng Chéng Zhàn (Yóuzhèng Biānmǎ：330051). Liánxì Diànhuà：97453056. Diànzǐ Yóuxiāng：fczrg@vcdrknmy.transport.cn

Xun Hua Qiu, Teng Cheng Bus Station, 533 Yuan Dan Road, Huairen City, Shuozhou, Shanxi. Postal Code: 330051. Phone Number：97453056. E-mail：fczrg@vcdrknmy.transport.cn

710。姓名: 养桥南

住址（博物院）：山西省吕梁市中阳县国隆路 910 号吕梁博物馆（邮政编码：692197）。联系电话：61809259。电子邮箱：moriy@kjxysabi.museums.cn

Zhù zhǐ: Yǎng Qiáo Nán Shānxī Shěng Lǚliáng Shì Zhōng Yáng Xiàn Guó Lóng Lù 910 Hào Lǚliáng Bó Wù Guǎn (Yóuzhèng Biānmǎ：692197). Liánxì Diànhuà：61809259. Diànzǐ Yóuxiāng：moriy@kjxysabi.museums.cn

Qiao Nan Yang, Luliang Museum, 910 Guo Long Road, Zhongyang County, Luliang, Shanxi. Postal Code: 692197. Phone Number：61809259. E-mail：moriy@kjxysabi.museums.cn

711。姓名: 经际鸣

住址（公共汽车站）：山西省长治市襄垣县兵钢路 279 号咚福站（邮政编码：286160）。联系电话：22522436。电子邮箱：kxtrm@iubafnzp.transport.cn

Zhù zhǐ: Jīng Jì Míng Shānxī Shěng Chángzhì Shì Xiāngyuán Xiàn Bīng Gāng Lù 279 Hào Dōng Fú Zhàn (Yóuzhèng Biānmǎ：286160). Liánxì Diànhuà：22522436. Diànzǐ Yóuxiāng：kxtrm@iubafnzp.transport.cn

Ji Ming Jing, Dong Fu Bus Station, 279 Bing Gang Road, Xiangyuan County, Changzhi, Shanxi. Postal Code: 286160. Phone Number：22522436. E-mail：kxtrm@iubafnzp.transport.cn

712。姓名: 冯顺舟

住址（博物院）：山西省运城市临猗县阳秀路 472 号运城博物馆（邮政编码：413170）。联系电话：62490623。电子邮箱：zgsuh@tnabghiw.museums.cn

Zhù zhǐ: Féng Shùn Zhōu Shānxī Shěng Yùn Chéng Shì Lín Yī Xiàn Yáng Xiù Lù 472 Hào Yùn Céng Bó Wù Guǎn (Yóuzhèng Biānmǎ：413170). Liánxì Diànhuà：62490623. Diànzǐ Yóuxiāng：zgsuh@tnabghiw.museums.cn

Shun Zhou Feng, Yuncheng Museum, 472 Yang Xiu Road, Linyi County, Yuncheng, Shanxi. Postal Code: 413170. Phone Number：62490623. E-mail：zgsuh@tnabghiw.museums.cn

713。姓名: 段干员金

住址（寺庙）：山西省忻州市保德县科仓路 138 号领启寺（邮政编码：972368）。联系电话：54764064。电子邮箱：lwmit@mlhaobst.god.cn

Zhù zhǐ: Duàngān Yuán Jīn Shānxī Shěng Xīnzhōu Shì Bǎo Dé Xiàn Kē Cāng Lù 138 Hào Lǐng Qǐ Sì (Yóuzhèng Biānmǎ：972368). Liánxì Diànhuà：54764064. Diànzǐ Yóuxiāng：lwmit@mlhaobst.god.cn

Yuan Jin Duangan, Ling Qi Temple, 138 Ke Cang Road, Baode County, Xinzhou, Shanxi. Postal Code: 972368. Phone Number：54764064. E-mail：lwmit@mlhaobst.god.cn

714。姓名: 闾丘懂腾

住址（酒店）：山西省晋城市高平市阳泽路 469 号茂帆酒店（邮政编码：400009）。联系电话：65938144。电子邮箱：xiclo@yokxsten.biz.cn

Zhù zhǐ: Lǘqiū Dǒng Téng Shānxī Shěng Jìnchéng Shì Gāopíng Shì Yáng Zé Lù 469 Hào Mào Fān Jiǔ Diàn (Yóuzhèng Biānmǎ：400009). Liánxì Diànhuà：65938144. Diànzǐ Yóuxiāng：xiclo@yokxsten.biz.cn

Dong Teng Llvqu, Mao Fan Hotel, 469 Yang Ze Road, Gaoping City, Jincheng, Shanxi. Postal Code: 400009. Phone Number：65938144. E-mail：xiclo@yokxsten.biz.cn

715。姓名: 姬伦惟

住址（酒店）：山西省忻州市五台县南锺路 752 号钢磊酒店（邮政编码：284478）。联系电话：61663167。电子邮箱：gzekc@tguzsoha.biz.cn

Zhù zhǐ: Jī Lún Wéi Shānxī Shěng Xīnzhōu Shì Wǔ Tái Xiàn Nán Chuí Lù 752 Hào Gāng Lěi Jiǔ Diàn (Yóuzhèng Biānmǎ：284478). Liánxì Diànhuà：61663167. Diànzǐ Yóuxiāng：gzekc@tguzsoha.biz.cn

Lun Wei Ji, Gang Lei Hotel, 752 Nan Chui Road, Wutai County, Xinzhou, Shanxi. Postal Code: 284478. Phone Number：61663167. E-mail：gzekc@tguzsoha.biz.cn

716。姓名: 夏侯钦先

住址（广场）：山西省太原市阳曲县葆强路 415 号水宽广场（邮政编码：300334）。联系电话：96332818。电子邮箱：udron@hlkoveyg.squares.cn

Zhù zhǐ: Xiàhóu Qīn Xiān Shānxī Shěng Tàiyuán Shì Yáng Qū Xiàn Bǎo Qiǎng Lù 415 Hào Shuǐ Kuān Guǎng Chǎng (Yóuzhèng Biānmǎ：300334). Liánxì Diànhuà：96332818. Diànzǐ Yóuxiāng：udron@hlkoveyg.squares.cn

Qin Xian Xiahou, Shui Kuan Square, 415 Bao Qiang Road, Yangqu County, Taiyuan, Shanxi. Postal Code: 300334. Phone Number：96332818. E-mail：udron@hlkoveyg.squares.cn

717。姓名: 茹鹤乐

住址（机场）：山西省阳泉市平定县易辙路 244 号阳泉铭郁国际机场（邮政编码：567809）。联系电话：88085637。电子邮箱：htkzx@comblkif.airports.cn

Zhù zhǐ: Rú Hè Lè Shānxī Shěng Yángquán Shì Píngdìng Xiàn Yì Zhé Lù 244 Hào Yángquán Míng Yù Guó Jì Jī Chǎng (Yóuzhèng Biānmǎ：567809). Liánxì Diànhuà：88085637. Diànzǐ Yóuxiāng：htkzx@comblkif.airports.cn

He Le Ru, Yangquan Ming Yu International Airport, 244 Yi Zhe Road, Pingding County, Yangquan, Shanxi. Postal Code: 567809. Phone Number：88085637. E-mail：htkzx@comblkif.airports.cn

718。姓名: 阚鸣磊

住址（医院）：山西省吕梁市汾阳市沛白路 373 号智白医院（邮政编码：172786）。联系电话：20605711。电子邮箱：jdqxf@ulcvzeqt.health.cn

Zhù zhǐ: Kàn Míng Lěi Shānxī Shěng Lǚliáng Shì Fén Yáng Shì Pèi Bái Lù 373 Hào Zhì Bái Yī Yuàn (Yóuzhèng Biānmǎ：172786). Liánxì Diànhuà：20605711. Diànzǐ Yóuxiāng：jdqxf@ulcvzeqt.health.cn

Ming Lei Kan, Zhi Bai Hospital, 373 Pei Bai Road, Fenyang City, Luliang, Shanxi. Postal Code: 172786. Phone Number：20605711. E-mail：jdqxf@ulcvzeqt.health.cn

719。姓名: 赵葆斌

住址（大学）：山西省运城市永济市克化大学国征路 653 号（邮政编码：757422）。联系电话：52622047。电子邮箱：ixhmo@kvafpubo.edu.cn

Zhù zhǐ: Zhào Bǎo Bīn Shānxī Shěng Yùn Chéng Shì Yǒng Jì Shì Kè Huà DàxuéGuó Zhēng Lù 653 Hào (Yóuzhèng Biānmǎ：757422). Liánxì Diànhuà：52622047. Diànzǐ Yóuxiāng：ixhmo@kvafpubo.edu.cn

Bao Bin Zhao, Ke Hua University, 653 Guo Zheng Road, Yongji City, Yuncheng, Shanxi. Postal Code: 757422. Phone Number：52622047. E-mail：ixhmo@kvafpubo.edu.cn

720。姓名: 宁成焯

住址（家庭）：山西省大同市灵丘县守焯路 601 号恩绅公寓 41 层 833 室（邮政编码：614785）。联系电话：95672910。电子邮箱：hluip@nspmcjwe.cn

Zhù zhǐ: Nìng Chéng Chāo Shānxī Shěng Dàtóng Shì Líng Qiū Xiàn Shǒu Chāo Lù 601 Hào Ēn Shēn Gōng Yù 41 Céng 833 Shì (Yóuzhèng Biānmǎ：614785). Liánxì Diànhuà：95672910. Diànzǐ Yóuxiāng：hluip@nspmcjwe.cn

Cheng Chao Ning, Room# 833, Floor# 41, En Shen Apartment, 601 Shou Chao Road, Lingqiu County, Datong, Shanxi. Postal Code: 614785. Phone Number：95672910. E-mail：hluip@nspmcjwe.cn

**CHAPTER 5: NAME, SURNAME & ADDRESSES (121-150)**

721。姓名: 滑辙彬

住址（家庭）：山西省长治市黎城县臻化路 149 号稼兵公寓 39 层 966 室（邮政编码：655010）。联系电话：83028234。电子邮箱：lfsyx@rqipmhek.cn

Zhù zhǐ: Huá Zhé Bīn Shānxī Shěng Chángzhì Shì Lí Chéng Xiàn Zhēn Huà Lù 149 Hào Jià Bīng Gōng Yù 39 Céng 966 Shì (Yóuzhèng Biānmǎ：655010). Liánxì Diànhuà：83028234. Diànzǐ Yóuxiāng：lfsyx@rqipmhek.cn

Zhe Bin Hua, Room# 966, Floor# 39, Jia Bing Apartment, 149 Zhen Hua Road, Licheng County, Changzhi, Shanxi. Postal Code: 655010. Phone Number：83028234. E-mail：lfsyx@rqipmhek.cn

722。姓名: 束居王

住址（公司）：山西省太原市阳曲县甫冕路 356 号岐臻有限公司（邮政编码：308650）。联系电话：34298044。电子邮箱：syblw@fnimplsr.biz.cn

Zhù zhǐ: Shù Jū Wáng Shānxī Shěng Tàiyuán Shì Yáng Qū Xiàn Fǔ Miǎn Lù 356 Hào Qí Zhēn Yǒuxiàn Gōngsī (Yóuzhèng Biānmǎ：308650). Liánxì Diànhuà：34298044. Diànzǐ Yóuxiāng：syblw@fnimplsr.biz.cn

Ju Wang Shu, Qi Zhen Corporation, 356 Fu Mian Road, Yangqu County, Taiyuan, Shanxi. Postal Code: 308650. Phone Number：34298044. E-mail：syblw@fnimplsr.biz.cn

723。姓名: 西门振王

住址（医院）：山西省大同市广灵县石澜路 552 号淹波医院（邮政编码：609107）。联系电话：92248796。电子邮箱：grcns@gyckqwrz.health.cn

Zhù zhǐ: Xīmén Zhèn Wàng Shānxī Shěng Dàtóng Shì Guǎng Líng Xiàn Shí Lán Lù 552 Hào Yān Bō Yī Yuàn (Yóuzhèng Biānmǎ：609107). Liánxì Diànhuà：92248796. Diànzǐ Yóuxiāng：grcns@gyckqwrz.health.cn

Zhen Wang Ximen, Yan Bo Hospital, 552 Shi Lan Road, Guangling County, Datong, Shanxi. Postal Code: 609107. Phone Number：92248796. E-mail：grcns@gyckqwrz.health.cn

724。姓名: 贺大刚

住址（家庭）：山西省阳泉市平定县渊甫路 492 号黎进公寓 8 层 765 室（邮政编码：552249）。联系电话：11649184。电子邮箱：jkhpl@sgkyoame.cn

Zhù zhǐ: Hè Dà Gāng Shānxī Shěng Yángquán Shì Píngdìng Xiàn Yuān Fǔ Lù 492 Hào Lí Jìn Gōng Yù 8 Céng 765 Shì (Yóuzhèng Biānmǎ：552249). Liánxì Diànhuà：11649184. Diànzǐ Yóuxiāng：jkhpl@sgkyoame.cn

Da Gang He, Room# 765, Floor# 8, Li Jin Apartment, 492 Yuan Fu Road, Pingding County, Yangquan, Shanxi. Postal Code: 552249. Phone Number：11649184. E-mail：jkhpl@sgkyoame.cn

725。姓名: 伊际焯

住址（机场）：山西省吕梁市交城县光钢路 946 号吕梁懂翰国际机场（邮政编码：787704）。联系电话：31165882。电子邮箱：ygwor@fryupaxj.airports.cn

Zhù zhǐ: Yī Jì Chāo Shānxī Shěng Lǚliáng Shì Jiāo Chéng Xiàn Guāng Gāng Lù 946 Hào Lǚliáng Dǒng Hàn Guó Jì Jī Chǎng (Yóuzhèng Biānmǎ：787704). Liánxì Diànhuà：31165882. Diànzǐ Yóuxiāng：ygwor@fryupaxj.airports.cn

Ji Chao Yi, Luliang Dong Han International Airport, 946 Guang Gang Road, Jiaocheng County, Luliang, Shanxi. Postal Code: 787704. Phone Number：31165882. E-mail：ygwor@fryupaxj.airports.cn

726。姓名: 支珂稼

住址（机场）：山西省朔州市山阴县澜楚路 400 号朔州泽员国际机场（邮政编码：447432）。联系电话：14625289。电子邮箱：nauwt@nhpezvws.airports.cn

Zhù zhǐ: Zhī Kē Jià Shānxī Shěng Shuò Zhōu Shì Shān Yīn Xiàn Lán Chǔ Lù 400 Hào uò Zōu Zé Yún Guó Jì Jī Chǎng (Yóuzhèng Biānmǎ：447432). Liánxì Diànhuà：14625289. Diànzǐ Yóuxiāng：nauwt@nhpezvws.airports.cn

Ke Jia Zhi, Shuozhou Ze Yun International Airport, 400 Lan Chu Road, Sanyin County, Shuozhou, Shanxi. Postal Code: 447432. Phone Number：14625289. E-mail：nauwt@nhpezvws.airports.cn

727。姓名: 邓来智

住址（湖泊）：山西省临汾市古县振自路 841 号铁陶湖（邮政编码：634529）。联系电话：53568199。电子邮箱：uynba@vsdntkmp.lakes.cn

Zhù zhǐ: Dèng Lái Zhì Shānxī Shěng Línfén Shì Gǔ Xiàn Zhèn Zì Lù 841 Hào Tiě Táo Hú (Yóuzhèng Biānmǎ：634529). Liánxì Diànhuà：53568199. Diànzǐ Yóuxiāng：uynba@vsdntkmp.lakes.cn

Lai Zhi Deng, Tie Tao Lake, 841 Zhen Zi Road, Guxian, Linfen, Shanxi. Postal Code: 634529. Phone Number：53568199. E-mail：uynba@vsdntkmp.lakes.cn

728。姓名: 越铁圣

住址（家庭）：山西省晋中市和顺县仓发路 475 号中桥公寓 43 层 609 室（邮政编码：882091）。联系电话：81967421。电子邮箱：cupif@enlpgakz.cn

Zhù zhǐ: Yuè Tiě Shèng Shānxī Shěng Jìn Zhōng Shì Héshùn Xiàn Cāng Fā Lù 475 Hào Zhōng Qiáo Gōng Yù 43 Céng 609 Shì (Yóuzhèng Biānmǎ：882091). Liánxì Diànhuà：81967421. Diànzǐ Yóuxiāng：cupif@enlpgakz.cn

Tie Sheng Yue, Room# 609, Floor# 43, Zhong Qiao Apartment, 475 Cang Fa Road, Heshun County, Jinzhong, Shanxi. Postal Code: 882091. Phone Number：81967421. E-mail：cupif@enlpgakz.cn

729。姓名: 仲晖辙

住址（家庭）：山西省长治市沁源县圣淹路 793 号钦化公寓 20 层 342 室（邮政编码：467098）。联系电话：41387919。电子邮箱：nfazb@fgueqsci.cn

Zhù zhǐ: Zhòng Huī Zhé Shānxī Shěng Chángzhì Shì Qìn Yuán Xiàn Shèng Yān Lù 793 Hào Qīn Huā Gōng Yù 20 Céng 342 Shì (Yóuzhèng Biānmǎ：467098). Liánxì Diànhuà：41387919. Diànzǐ Yóuxiāng：nfazb@fgueqsci.cn

Hui Zhe Zhong, Room# 342, Floor# 20, Qin Hua Apartment, 793 Sheng Yan Road, Qinyuan County, Changzhi, Shanxi. Postal Code: 467098. Phone Number：41387919. E-mail：nfazb@fgueqsci.cn

730。姓名: 郜顺先

住址（广场）：山西省太原市阳曲县钦科路 355 号坡先广场（邮政编码：751091）。联系电话：17564442。电子邮箱：cdefp@vdolsyzb.squares.cn

Zhù zhǐ: Gào Shùn Xiān Shānxī Shěng Tàiyuán Shì Yáng Qū Xiàn Qīn Kē Lù 355 Hào Pō Xiān Guǎng Chǎng (Yóuzhèng Biānmǎ：751091). Liánxì Diànhuà：17564442. Diànzǐ Yóuxiāng：cdefp@vdolsyzb.squares.cn

Shun Xian Gao, Po Xian Square, 355 Qin Ke Road, Yangqu County, Taiyuan, Shanxi. Postal Code: 751091. Phone Number：17564442. E-mail：cdefp@vdolsyzb.squares.cn

731。姓名: 凌钦独

住址（寺庙）：山西省运城市绛县楚土路 295 号翼奎寺（邮政编码：726380）。联系电话：90614197。电子邮箱：gqhvf@cxrhsozj.god.cn

Zhù zhǐ: Líng Qīn Dú Shānxī Shěng Yùn Chéng Shì Jiàng Xiàn Chǔ Tǔ Lù 295 Hào Yì Kuí Sì (Yóuzhèng Biānmǎ：726380). Liánxì Diànhuà：90614197. Diànzǐ Yóuxiāng：gqhvf@cxrhsozj.god.cn

Qin Du Ling, Yi Kui Temple, 295 Chu Tu Road, Jiang County, Yuncheng, Shanxi. Postal Code: 726380. Phone Number：90614197. E-mail：gqhvf@cxrhsozj.god.cn

732。姓名: 东门山不

住址（博物院）：山西省吕梁市文水县迅独路 655 号吕梁博物馆（邮政编码：664315）。联系电话：52092360。电子邮箱：vkmql@zrqpckaj.museums.cn

Zhù zhǐ: Dōngmén Shān Bù Shānxī Shěng Lǚliáng Shì Wén Shuǐ Xiàn Xùn Dú Lù 655 Hào Lǚliáng Bó Wù Guǎn (Yóuzhèng Biānmǎ：664315). Liánxì Diànhuà：52092360. Diànzǐ Yóuxiāng：vkmql@zrqpckaj.museums.cn

Shan Bu Dongmen, Luliang Museum, 655 Xun Du Road, Wenshui County, Luliang, Shanxi. Postal Code: 664315. Phone Number：52092360. E-mail：vkmql@zrqpckaj.museums.cn

733。姓名: 汤中澜

住址（博物院）：山西省长治市壶关县沛振路 891 号长治博物馆（邮政编码：665655）。联系电话：50299931。电子邮箱：ncbke@ymjwdrlb.museums.cn

Zhù zhǐ: Tāng Zhōng Lán Shānxī Shěng Chángzhì Shì Hú Guān Xiàn Bèi Zhèn Lù 891 Hào Cángz Bó Wù Guǎn (Yóuzhèng Biānmǎ：665655). Liánxì Diànhuà：50299931. Diànzǐ Yóuxiāng：ncbke@ymjwdrlb.museums.cn

Zhong Lan Tang, Changzhi Museum, 891 Bei Zhen Road, Huguan County, Changzhi, Shanxi. Postal Code: 665655. Phone Number：50299931. E-mail：ncbke@ymjwdrlb.museums.cn

734。姓名: 诸珏兆

住址（医院）：山西省长治市长子县汉兵路 614 号豹刚医院（邮政编码：733047）。联系电话：58579381。电子邮箱：bpnmc@txpokayv.health.cn

Zhù zhǐ: Zhū Jué Zhào Shānxī Shěng Chángzhì Shì Zhǎngzǐ Xiàn Hàn Bīng Lù 614 Hào Bào Gāng Yī Yuàn (Yóuzhèng Biānmǎ：733047). Liánxì Diànhuà：58579381. Diànzǐ Yóuxiāng：bpnmc@txpokayv.health.cn

Jue Zhao Zhu, Bao Gang Hospital, 614 Han Bing Road, Eldest Son County, Changzhi, Shanxi. Postal Code: 733047. Phone Number：58579381. E-mail：bpnmc@txpokayv.health.cn

735。姓名: 淳于伦钢

住址（公园）：山西省吕梁市柳林县智王路 181 号全淹公园（邮政编码：496606）。联系电话：28010817。电子邮箱：zqsvx@amuvrstx.parks.cn

Zhù zhǐ: Chúnyú Lún Gāng Shānxī Shěng Lǚliáng Shì Liǔ Lín Xiàn Zhì Wàng Lù 181 Hào Quán Yān Gōng Yuán (Yóuzhèng Biānmǎ：496606). Liánxì Diànhuà：28010817. Diànzǐ Yóuxiāng：zqsvx@amuvrstx.parks.cn

Lun Gang Chunyu, Quan Yan Park, 181 Zhi Wang Road, Liulin County, Luliang, Shanxi. Postal Code: 496606. Phone Number：28010817. E-mail：zqsvx@amuvrstx.parks.cn

736。姓名: 屠来仓

住址（机场）：山西省太原市清徐县坚兵路 811 号太原翰祥国际机场（邮政编码：372421）。联系电话：22263335。电子邮箱：bmyno@jbykuvwl.airports.cn

Zhù zhǐ: Tú Lái Cāng Shānxī Shěng Tàiyuán Shì Qīng Xú Xiàn Jiān Bīng Lù 811 Hào Tàiyuán Hàn Xiáng Guó Jì Jī Chǎng (Yóuzhèng Biānmǎ：372421). Liánxì Diànhuà：22263335. Diànzǐ Yóuxiāng：bmyno@jbykuvwl.airports.cn

Lai Cang Tu, Taiyuan Han Xiang International Airport, 811 Jian Bing Road, Qingxu County, Taiyuan, Shanxi. Postal Code: 372421. Phone Number：22263335. E-mail：bmyno@jbykuvwl.airports.cn

737。姓名: 季渊顺

住址（博物院）：山西省长治市上党区征楚路 153 号长治博物馆（邮政编码：720705）。联系电话：87685344。电子邮箱：aqxgp@dlphznag.museums.cn

Zhù zhǐ: Jì Yuān Shùn Shānxī Shěng Chángzhì Shì Shàng Dǎng Qū Zhēng Chǔ Lù 153 Hào Cángz Bó Wù Guǎn (Yóuzhèng Biānmǎ：720705). Liánxì Diànhuà：87685344. Diànzǐ Yóuxiāng：aqxgp@dlphznag.museums.cn

Yuan Shun Ji, Changzhi Museum, 153 Zheng Chu Road, Shangdang District, Changzhi, Shanxi. Postal Code: 720705. Phone Number：87685344. E-mail：aqxgp@dlphznag.museums.cn

738。姓名: 须化屹

住址（家庭）：山西省吕梁市文水县振禹路 743 号立智公寓 24 层 389 室（邮政编码：323233）。联系电话：34699453。电子邮箱：ounhr@gfvbxeas.cn

Zhù zhǐ: Xū Huā Yì Shānxī Shěng Lǚliáng Shì Wén Shuǐ Xiàn Zhèn Yǔ Lù 743 Hào Lì Zhì Gōng Yù 24 Céng 389 Shì (Yóuzhèng Biānmǎ：323233). Liánxì Diànhuà：34699453. Diànzǐ Yóuxiāng：ounhr@gfvbxeas.cn

Hua Yi Xu, Room# 389, Floor# 24, Li Zhi Apartment, 743 Zhen Yu Road, Wenshui County, Luliang, Shanxi. Postal Code: 323233. Phone Number：34699453. E-mail：ounhr@gfvbxeas.cn

739。姓名: 阴珂淹

住址（公司）：山西省运城市新绛县沛进路 604 号超嘉有限公司（邮政编码：789241）。联系电话：67200229。电子邮箱：lrcdv@skzbfwjo.biz.cn

Zhù zhǐ: Yīn Kē Yān Shānxī Shěng Yùn Chéng Shì Xīn Jiàng Xiàn Bèi Jìn Lù 604 Hào Chāo Jiā Yǒuxiàn Gōngsī (Yóuzhèng Biānmǎ：789241). Liánxì Diànhuà：67200229. Diànzǐ Yóuxiāng：lrcdv@skzbfwjo.biz.cn

Ke Yan Yin, Chao Jia Corporation, 604 Bei Jin Road, Xinjiang County, Yuncheng, Shanxi. Postal Code: 789241. Phone Number：67200229. E-mail：lrcdv@skzbfwjo.biz.cn

740。姓名: 仉督龙葆

住址（公园）：山西省晋城市高平市克葛路 491 号谢科公园（邮政编码：182826）。联系电话：28432271。电子邮箱：wmrbx@eghcwlrx.parks.cn

Zhù zhǐ: Zhǎngdū Lóng Bǎo Shānxī Shěng Jìnchéng Shì Gāopíng Shì Kè Gé Lù 491 Hào Xiè Kē Gōng Yuán (Yóuzhèng Biānmǎ：182826). Liánxì Diànhuà：28432271. Diànzǐ Yóuxiāng：wmrbx@eghcwlrx.parks.cn

Long Bao Zhangdu, Xie Ke Park, 491 Ke Ge Road, Gaoping City, Jincheng, Shanxi. Postal Code: 182826. Phone Number：28432271. E-mail：wmrbx@eghcwlrx.parks.cn

741。姓名: 浦科陆

住址（公司）：山西省忻州市河曲县王坤路 986 号亚南有限公司（邮政编码：228554）。联系电话：93108897。电子邮箱：qbkvj@wudotjim.biz.cn

Zhù zhǐ: Pǔ Kē Liù Shānxī Shěng Xīnzhōu Shì Héqū Xiàn Wáng Kūn Lù 986 Hào Yà Nán Yǒuxiàn Gōngsī (Yóuzhèng Biānmǎ：228554). Liánxì Diànhuà：93108897. Diànzǐ Yóuxiāng：qbkvj@wudotjim.biz.cn

Ke Liu Pu, Ya Nan Corporation, 986 Wang Kun Road, Hequ County, Xinzhou, Shanxi. Postal Code: 228554. Phone Number：93108897. E-mail：qbkvj@wudotjim.biz.cn

742。姓名: 公冶葛淹

住址（机场）：山西省忻州市保德县自大路 129 号忻州全柱国际机场（邮政编码：364861）。联系电话：28798302。电子邮箱：xjfch@kowrdtga.airports.cn

Zhù zhǐ: Gōngyě Gé Yān Shānxī Shěng Xīnzhōu Shì Bǎo Dé Xiàn Zì Dà Lù 129 Hào Xīnzōu Quán Zhù Guó Jì Jī Chǎng (Yóuzhèng Biānmǎ：364861). Liánxì Diànhuà：28798302. Diànzǐ Yóuxiāng：xjfch@kowrdtga.airports.cn

Ge Yan Gongye, Xinzhou Quan Zhu International Airport, 129 Zi Da Road, Baode County, Xinzhou, Shanxi. Postal Code: 364861. Phone Number：28798302. E-mail：xjfch@kowrdtga.airports.cn

743。姓名: 扶水光

住址（大学）：山西省阳泉市平定县锡彬大学帆冠路 844 号（邮政编码：858396）。联系电话：69782670。电子邮箱：mgqlf@djzofhcn.edu.cn

Zhù zhǐ: Fú Shuǐ Guāng Shānxī Shěng Yángquán Shì Píngdìng Xiàn Xī Bīn DàxuéFān Guān Lù 844 Hào (Yóuzhèng Biānmǎ：858396). Liánxì Diànhuà：69782670. Diànzǐ Yóuxiāng：mgqlf@djzofhcn.edu.cn

Shui Guang Fu, Xi Bin University, 844 Fan Guan Road, Pingding County, Yangquan, Shanxi. Postal Code: 858396. Phone Number：69782670. E-mail：mgqlf@djzofhcn.edu.cn

744。姓名: 瞿寰民

住址（广场）：山西省晋城市高平市冕辙路 296 号源勇广场（邮政编码：270388）。联系电话：82732177。电子邮箱：fbiyt@harqgfkv.squares.cn

Zhù zhǐ: Qú Huán Mín Shānxī Shěng Jìnchéng Shì Gāopíng Shì Miǎn Zhé Lù 296 Hào Yuán Yǒng Guǎng Chǎng (Yóuzhèng Biānmǎ：270388). Liánxì Diànhuà：82732177. Diànzǐ Yóuxiāng：fbiyt@harqgfkv.squares.cn

Huan Min Qu, Yuan Yong Square, 296 Mian Zhe Road, Gaoping City, Jincheng, Shanxi. Postal Code: 270388. Phone Number：82732177. E-mail：fbiyt@harqgfkv.squares.cn

745。姓名: 越山员

住址（寺庙）：山西省太原市小店区亚晗路 945 号领星寺（邮政编码：142684）。联系电话：63325227。电子邮箱：kjbnd@dhtwmegv.god.cn

Zhù zhǐ: Yuè Shān Yuán Shānxī Shěng Tàiyuán Shì Xiǎo Diàn Qū Yà Hán Lù 945 Hào Lǐng Xīng Sì (Yóuzhèng Biānmǎ：142684). Liánxì Diànhuà：63325227. Diànzǐ Yóuxiāng：kjbnd@dhtwmegv.god.cn

Shan Yuan Yue, Ling Xing Temple, 945 Ya Han Road, Shop Area, Taiyuan, Shanxi. Postal Code: 142684. Phone Number：63325227. E-mail：kjbnd@dhtwmegv.god.cn

746。姓名: 端木晗迅

住址（火车站）：山西省晋中市昔阳县院学路 605 号晋中站（邮政编码：552275）。联系电话：75308831。电子邮箱：behlz@peqsmkrd.chr.cn

Zhù zhǐ: Duānmù Hán Xùn Shānxī Shěng Jìn Zhōng Shì Xī Yáng Xiàn Yuàn Xué Lù 605 Hào Jn Zōng Zhàn (Yóuzhèng Biānmǎ：552275). Liánxì Diànhuà：75308831. Diànzǐ Yóuxiāng：behlz@peqsmkrd.chr.cn

Han Xun Duanmu, Jinzhong Railway Station, 605 Yuan Xue Road, Xiyang County, Jinzhong, Shanxi. Postal Code: 552275. Phone Number：75308831. E-mail：behlz@peqsmkrd.chr.cn

747。姓名: 壤驷风懂

住址（火车站）：山西省晋中市昔阳县桥愈路 559 号晋中站（邮政编码：136732）。联系电话：33845590。电子邮箱：enlpi@nthszciw.chr.cn

Zhù zhǐ: Rǎngsì Fēng Dǒng Shānxī Shěng Jìn Zhōng Shì Xī Yáng Xiàn Qiáo Yù Lù 559 Hào Jn Zōng Zhàn (Yóuzhèng Biānmǎ：136732). Liánxì Diànhuà：33845590. Diànzǐ Yóuxiāng：enlpi@nthszciw.chr.cn

Feng Dong Rangsi, Jinzhong Railway Station, 559 Qiao Yu Road, Xiyang County, Jinzhong, Shanxi. Postal Code: 136732. Phone Number：33845590. E-mail：enlpi@nthszciw.chr.cn

748。姓名: 蓝食腾

住址（广场）：山西省大同市阳高县祥泽路 199 号熔胜广场（邮政编码：988520）。联系电话：95565523。电子邮箱：kyrnj@thewzumd.squares.cn

Zhù zhǐ: Lán Sì Téng Shānxī Shěng Dàtóng Shì Yáng gāo xiàn Xiáng Zé Lù 199 Hào Róng Shēng Guǎng Chǎng (Yóuzhèng Biānmǎ：988520). Liánxì Diànhuà：95565523. Diànzǐ Yóuxiāng：kyrnj@thewzumd.squares.cn

Si Teng Lan, Rong Sheng Square, 199 Xiang Ze Road, Yanggao County, Datong, Shanxi. Postal Code: 988520. Phone Number：95565523. E-mail：kyrnj@thewzumd.squares.cn

749。姓名: 金陶大

住址（公园）：山西省运城市平陆县翼风路 639 号土化公园（邮政编码：537828）。联系电话：86823206。电子邮箱：bawpl@miblvprs.parks.cn

Zhù zhǐ: Jīn Táo Dài Shānxī Shěng Yùn Chéng Shì Píng Lù Xiàn Yì Fēng Lù 639 Hào Tǔ Huà Gōng Yuán (Yóuzhèng Biānmǎ：537828). Liánxì Diànhuà：86823206. Diànzǐ Yóuxiāng：bawpl@miblvprs.parks.cn

Tao Dai Jin, Tu Hua Park, 639 Yi Feng Road, Pinglu County, Yuncheng, Shanxi. Postal Code: 537828. Phone Number：86823206. E-mail：bawpl@miblvprs.parks.cn

750。姓名: 慕毅学

住址（公共汽车站）：山西省忻州市静乐县锡石路 656 号渊翰站（邮政编码：640798）。联系电话：92691724。电子邮箱：lqbsd@kohnxeyj.transport.cn

Zhù zhǐ: Mù Yì Xué Shānxī Shěng Xīnzhōu Shì Jìng Lè Xiàn Xī Dàn Lù 656 Hào Yuān Hàn Zhàn (Yóuzhèng Biānmǎ：640798). Liánxì Diànhuà：92691724. Diànzǐ Yóuxiāng：lqbsd@kohnxeyj.transport.cn

Yi Xue Mu, Yuan Han Bus Station, 656 Xi Dan Road, Jingle County, Xinzhou, Shanxi. Postal Code: 640798. Phone Number：92691724. E-mail：lqbsd@kohnxeyj.transport.cn

Milton Keynes UK
Ingram Content Group UK Ltd.
UKHW050916260224
438492UK00013B/620